KB178028

찬송가 조에 맞춘

색소폰 앙상블 100 선곡집

BOOK 2

이왕제(Leewangjae) 편저

책머리에

색소폰이 이조(조옮김)악기여서 찬송가와 음높이가 달라 예배의 회중 찬송이나 피아노, 오르간과 함께 연주하기에 어려움이 있어 찬송가 조에 맞춘 색소폰 앙상블 100 선곡집 2권을 내놓게 되었습니다.

이 책이 예배의 회중 찬송, 피아노나 오르간 반주에 맞춘 독주, 중주, 특별찬양, 다양한 편성의 앙상블 악보로 교회음악과 연주 활동에 활용되기를 기대합니다.

교회음악이 대중음악화 되어가는 이 시대에 교회음악 영성 회복의 조그마한 씨앗이 되기를 바라며, 이 책을 만들 수 있는 동기와 가르침을 주신 고 나운영 박사님을 추모하며 존경의 마음으로 감사드립니다.

2024년 4월

이 왕 제

찬송가 색소폰 앙상블 100 선곡집 목록표

번호	곡　　명	번호	곡　　명
1	갈 길을 밝히 보이시니 (313. **새524장**)	28	내 본향 가는 길(292. **새607장**)
2	강물같이 흐르는 기쁨(169. **새182장**)	29	내 죄 속해 주신 주께(354. **새215장**)
3	거기 너 있었는가(136. **새147장**)	30	내 주님 입으신 그 옷은(87. **새87장**)
4	거친 세상에서 실패하거든(509. **새456장**)	31	내 평생 소원 이것뿐(376. **새450장**)
5	곤한 내 영혼 편히 쉴 곳과(464. **새406장**)	32	내가 깊은 곳에서(479. **새363장**)
6	공중 나는 새를 보라(307. **새588장**)	33	내가 매일 기쁘게(427. **새191장**)
7	구주 예수 의지함이(340. **새542장**)	34	내가 참 의지하는 예수(86. **새86장**)
8	구주여 광풍이 일어(419. **새371장**)	35	너 하나님께 이끌리어(341. **새312장**)
9	구주를 생각만 해도(85. **새85장**)	36	너희 죄 흉악하나(187. **새255장**)
10	구주의 십자가 보혈로(182. **새250장**)	37	눈을 들어 산을 보니(433. **새383장**) 복의 근원 강림하사(28. **새28장**)
11	그 누가 나의 괴롬 알며(420. **새372장**)	38	다 감사드리세(20. **새66장**)
12	그 크신 하나님의 사랑(404. **새304장**)	39	다 함께 주를 경배하세(22. **새12장**)
13	기도하는 이 시간(480. **새361장**)	40	달고 오묘한 그 말씀(235. **새200장**)
14	기쁘다 구주 오셨네(115. **새115장**)	41	만백성 기뻐하여라(117. **새117장**)
15	나 가나안 땅 귀한 성에(221. **새246장**)	42	만세 반석 열린 곳에(439. **새386장**)
16	나 어느곳에 있든지(466. **새408장**)	43	만 입이 내게 있으면(23. **새23장**)
17	나 행한 것 죄 뿐이니(332. **새274장**)	44	먹보다도 더 검은(213. **새423장**)
18	나는 갈길 모르니(421. **새375장**)	45	무덤에 머물러(150. **새160장**)
19	나의 사랑하는 책(234. **새199장**)	46	불길 같은 주 성령(173. **새184장**)
20	나의 생명 되신 주(424. **새380장**)	47	비둘기 같이 온유한(171. **새187장**)
21	나의 죄를 씻기는(184. **새252장**)	48	비바람이 칠 때와(441. **새388장**)
22	날 대속하신 예수께(351. **새321장**)	49	빈들에 마른 풀같이(172. **새183장**)
23	날 위하여 십자가의(403. **새303장**)	50	샤론의 꽃 예수(89. **새89장**)
24	날마다 주와 버성겨(333. **새275장**)	51	세상 모두 사랑 없어(373. **새503장**)
25	내 갈 길 멀고 밤은 깊은데(429. **새379장**)	52	세상 모든 풍파 너를 흔들어(489. **새429장**)
26	내 눈을 들어 두루 살피니(73. **새73장**)	53	시온의 영광이 빛나는 아침(248. **새550장**)
27	내 맘에 한 노래 있어(468. **새410장**)	54	신자 되기 원합니다(518. **새463장**)

번호	곡　　명	번호	곡　　명
55	십자가 군병들아(390. **새352장**)	85	주 은혜를 받으려(39. **새39장**)
56	십자가 그늘 밑에(아래)(471. **새415장**)	86	주님의 마음을 본받는 자(507. **새455장**)
57	아 내 맘속에(473. **새411장**)	87	주님의 뜻을 이루소서(217. **새425장**)
58	양떼를 떠나서(335. **새277장**)	88	주여 나의 병든 몸을(528. **새471장**)
59	어지러운 세상 중에(366. **새340장**)	89	주와 같이 길 가는 것(456. **새430장**)
60	어저께나 오늘이나(133. **새135장**)	90	주의 친절한 팔에 안기세(458. **새405장**)
61	여기에 모인 우리(**새620장**)	91	큰 물결이 설레는 어둔 바다(462. **새432장**)
62	영광을 받으신 만유의 주여(375. **새331장**)	92	큰 죄에 빠진 날 위해(339. **새282장**)
63	예수 사랑하심을(411, **새563장**)	93	천국에서 만나보자(293. **새480장**)
64	예수 부활했으니(154. **새164장**)	94	참 즐거운 노래를(49. **새482장**)
65	예수가 거느리시니(444. **새390장**)	95	하나님의 크신 사랑(55. **새15장**)
66	예수를 나의 구주 삼고(204. **새288장**)	96	해보다 더 밝은 저 천국(291. **새606장**)
67	오 거룩하신 주님(145. **새145장**)	97	햇빛을 받는 곳마다(52. **새138장**)
68	오 베들레헴 작은골(120. **새120장**)	98	허락하신 새 땅에(382. **새347장**)
69	오 하나님 우리의 창조주시니(32. **새68장**)	99	행군 나팔 소리로(402. **새360장**)
70	오늘 모여 찬송함은(287. **새605장**) 기뻐하며 경배하세(13. **새64장**)	100	후일에 생명 그칠 때(295. **새608장**)
71	옳은 길 따르라 의의 길을(265. **새516장**)	101	The Holy City(거룩한 성)-Soprano Sax.
72	위에 계신 나의 친구(97. **새92장**)		The Holy City(거룩한 성)-Soprano Sax._2
73	은혜가 풍성한 하나님은(178. **새197장**)	102	The Holy City(거룩한 성)-Alto Sax. Solo
74	이 세상 끝날까지(448. **새447장**)		The Holy City(거룩한 성)-Alto Sax. Solo_2
75	이 세상의 친구들(449. **새394장**)	103	The Holy City(거룩한 성)-Alto Sax. 1
76	이 죄인을 완전케 하옵시고(215. **새426장**)		The Holy City(거룩한 성)-Alto Sax. 1_2
77	저 건너편 강 언덕에(226. **새237장**)	104	The Holy City(거룩한 성)-Alto Sax. 2
78	저 뵈는 본향 집(230. **새239장**)		The Holy City(거룩한 성)-Alto Sax. 2_2
79	저 장미꽃 위에 이슬(499. **새442장**)	105	The Holy City(거룩한 성)-Tenor Sax. Solo
80	죄에서 자유를 얻게 함은(202. **새268장**)		The Holy City(거룩한 성)-Tenor Sax. Solo_2
81	죄짐을 지고서 곤하거든(327. **새538장**)	106	The Holy City(거룩한 성)-Tenor Sax. 1
82	주 예수 내가 알기 전(98. **새90장**)		The Holy City(거룩한 성)-Tenor Sax. 1_2
83	주 예수 이름 높이어(36. **새36장**)	107	The Holy City(거룩한 성)-Tenor Sax. 2
84	주 예수님 내 맘에 오사(218. **새286장**)		The Holy City(거룩한 성)-Tenor Sax. 2_2

이 책의 활용법

1. 가사는 1절과 마지막 절만 기록하였다.

2. 위 보표(악보)의 위 음은 **E flat조** 악기 알토 색소폰1(멜로디), 아래 음은 알토 색소폰2(화음)로 연주, 바리톤 색소폰은 알토 색소폰2(화음) 파트를 연주하고 알토 색소폰1(멜로디) 연주도 좋다. **E flat조**(소프라노 클라리넷, 알토 클라리넷) 악기로 연주해도 된다.

3. 아래 보표(악보)의 위 음은 **B flat조** 악기 테너 색소폰(화음), 아래 음은 소프라노 색소폰(멜로디)이 연주, 테너 색소폰이 여럿이면 두 파트로 나누어 아래 음을 옥타브 올려 멜로디를 연주한다. **B flat조**(B flat 클라리넷, 베이스 클라리넷, 트럼펫) 악기로 연주해도 된다.

4. **C조** 악기는(피아노, 오르간, 바이올린, 비올라, 첼로, 플루트, 오보에, 바순, 트럼본) **찬송가**(통일찬송가, **새찬송가**) **악보**로 함께 연주하면 된다.

5. **찬송가(성가)**는 여흥을 위한 곡이 아니고 **예배의 영적 찬양곡**이기에 현란한 기교나 연주력을 과시하려 말고 곡의 원음에 가감없이 정확한 음정과 리듬으로 피아노, 오르간에 맞춰 **신령과 진정**으로 연주하는 예배자가 되시길 바랍니다.

1. 갈 길을 밝히 보이시니 (313. 새524장)

G.F.Root Arr.Leewangjae

Alto 1. 2(Bar) Sax.

1.갈 길 을 밝 히 보 이 시 니
3.주 오 늘 여 기 계 시 오 니

Tenor. Soprano Sax.

주 앞 에 빨 리 나 갑 시 다 우 리 를 찾 는
다 와 서 주 의 말 씀 듣 세 듣 기 도 하 며

구 주 예 수 곧 오 라 하 시 네 죄 악 벗 은
생 각 하 니 참 이 치 시 로 다

우 리 영 혼 은 기 뻐 뛰 며 주 를 보 겠 네

하 늘 에 계 신 주 예 수 를 영 원 히 섬 기 리

2. 강물같이 흐르는 기쁨(169. 새182장)

M.P.Ferguson/W.S.Marshall Arr.Leewangjae

Alto 1. 2(Bar) Sax.
Tenor. Soprano Sax.
1.강 물 같 - 이 흐 르 는 기 쁨 성 령 강 림 함 이
5.놀 라 우 - 신 주 의 은 혜 로 주 의 낯 을 보 겠
라 정 결 한 - 맘 영 원 하 도 록 주 의 거 처 되 겠
네 평 화 로 - 운 안 식 처 에 서 영 원 토 록 쉬 겠
네 주 님 주 시 는 참 된 평 화 가 내 맘 속 에 넘 치
네
네 주 의 말 씀 에 거 센 풍 랑 도 잠 잠 하 게 되 도 다

3. 거기 너 있었는가(136. 새147장)

G.Bennard Arr.Leewangjae

Alto 1. 2(Bar) Sax.
Tenor. Soprano Sax.
1.거 기 너 있 었 는 가 그 때
5.거 기 너 있 었 는 가 그 때
에 주 가 그 십 자 가 에 달 릴 때
에 주 가 그 무 덤 에 서 나 올 때
오 - - -
때 로 그 일 로 나 는
때 로 그 일 로 주 께
떨 려 떨 려 떨 려 거 기 너 있 었
영 광 영 광 영 광 거 기 너 있 었
는 가 그 때 에
는 가 그 때 에

4. 거친 세상에서 실패하거든(509. 새456장)

B.B.McKinney. Arr. Leewangjae

Alto 1. 2(Bar) Sax.
Tenor. Soprano Sax.
1.거 친 세 상 에 서 실 패 하 거 든 그 손
4.너 의 죄 악 의 짐 무 거 울 때 에 그 손
못 자 국 만 져 라 고 된 일 하 다 가 힘 을
못 자 국 만 져 라 마 음 문 열 고 서 주 를
얻 으 리 그 손 못 자 국 만 져 라 그 손 못 자 국 만 져
모 셔 라 그 손 못 자 국 만 져 라
라 그 손 못 자 국 만 져 라 주 가
널 지 키 며 인 도 하 시 리 그 손 못 자 국 만 져 라

5. 곤한 내 영혼 편히 쉴 곳과(464. 새406장)

L.N.Morris Arr.Leewangjae
Alto 1. 2(Bar) Sax.
Tenor. Soprano Sax.
1.곤 한 내 영 혼 편 히 쉴 곳 과 풍 랑
4.능 치 못 한 것 주 께 없 으 니 나 의
일 어 도 안 전 한 포 구 폭 풍 까 지 도 다 스 리 시 는
일 생 을 주 께 맡 기 면 나 의 모 든 짐 대 신 지 시 는
주 의 영 원 한 팔 의 지 해 주 의 영 원 하 신 팔 함 께
주 의 영 원 한 팔 의 지 해
하 사 항 상 나 를 붙 드 시 니 어 느 곳 에 가 든 지 요 동
하 지 않 음 은 주 의 팔 을 의 지 함 이 라

6. 공중 나는 새를 보라(307. 새588장)

Anonymous/Arr.by Emmelar. Arr. Leewangjae
Alto 1. 2(Bar) Sax.
Tenor. Soprano Sax.
1.공 중 나 는 새 를
4.너 는 먼 저 주 의
보 라 농 사 하 지 않 으 며 곡 식
나 라 그 의 의 를 구 하 면 하 나
모 아 곳 간 안 에 들 인 것 이 없 어
님 이 모 든 것 을 너 희 에 게 주 시
도 세 상 주 관 하 는 주 님 새 를
리 내 일 일 을 위 하 여 서 미 리
먹 여 주 시 니 너 희 먹 을 것 을
염 려 말 지 니 내 일 염 려 내 일
위 해 근 심 할 것 무 어 냐
하 라 오 늘 고 생 족 하 다

7. 구주 예수 의지함이(340. 새542장)

L.M.R.Stead/W.J.Kirkpatrick Arr.Leewangjae
Alto 1. 2(Bar) Sax.
Tenor. Soprano Sax.
1.구 주 예 수 의 지 함 이 심 히 기 쁜
4.구 주 예 수 의 지 하 여 구 원 함 을
일 일 세 허 락 하 심 받 았 으 니 의 심 아 주
얻 었 네 영 원 무 궁 지 나 도 록 함 께 계 시
없 도 다 예 수 예 수 믿 는 것 은 받 은 증 거
리 로 다
많 도 다 예 수 예 수 귀 한 예 수 믿 음 더 욱
주 소 서 아 멘

8. 구주여 광풍이 일어(419. 새371장)

M.A.Baker/H.R.Palmer Arr.Leewangjae

Alto 1. 2(Bar) Sax.
Tenor. Soprano Sax.
1.구 주 여 광 풍 이 일 어 큰 물 결 이 뛰 놀
3.사 나 운 광 풍 이 자 고 큰 물 결 이 그 치
며 온 하 늘 이 어 둠 에 싸 여 피 할 곳 을 모 - 르 니
니 그 잔 잔 한 바 다 와 같 이 내 마 음 이 편 - 하 다
우 리 가 죽 게 된 것 을 안 돌 아 봅 니 까 깊 은
구 주 여 늘 함 께 계 셔 떠 나 지 맙 소 서 복 된
바 다 에 빠 지 게 된 때 주 무 시 려 합 - 니 까 큰
항 구 에 즐 거 이 가 서 그 언 덕 에 쉬 - 리 라

바 람 과 물 결 아 잔 잔 해 잔 잔 해
사 납 게 뛰 노 는 파 도 나 저 흉 악 한 마 귀 나
아 무 것 도 주 편 안 히 잠 들 어 누 신 배 뒤 엎 어 놀 능 력 이
없 도 다 주 예 수 풍 파 를 꾸 짖 어 잔 잔 해
잔 잔 해 주 예 수 풍 파 를 꾸 짖 어 잔 잔 하 라

9. 구주를 생각만 해도(85. 새85장)

Latin Hymn, J. B. Dykes Arr. Leewangjae

Alto 1. 2(Bar) Sax.
Tenor. Soprano Sax.
1.구 주 를 생 각 만 - 해 도 내 맘 이 좋 거 든 주 얼 굴 뵈 올 때 에 야 - 얼 마 나 좋 으 랴
5.사 랑 의 구 주 예 - 수 여 내 기 쁨 되 시 고 이 제 와 또 한 영 원 히 - 영 광 이 되 - 소 서 아 멘

10. 구주의 십자가 보혈로(182. 새250장)

E.A.Hoffeman/J.H.Stockton Arr.Leewangjae

Alto 1. 2(Bar) Sax.
Tenor. Soprano Sax.
1.구 주 의 십 자 가 보 혈 로
4.내 주 께 회 개 한 양 심 은
죄 씻 음 받 기 를 원 하 네 내 죄 를 씻 으 신
생 명 수 가 운 데 젖 었 네 흠 없 고 순 전 한
주 이 름 찬 송 합 시 다 찬 송 합 시
주 이 름 찬 송 합 시 다
다 찬 송 합 시 다 내 죄 를 씻 으 신
주 이 름 찬 송 합 시 다

11. 그 누가 나의 괴롬 알며(420. 새372장)

Negro Spiritual Arr. Leewangjae
Alto 1. 2(Bar) Sax.
Tenor. Soprano Sax.
1.그 누 가 나 의 괴 롬 알 며 또 나 의 슬 픔
3.
알 까 주 밖 에 누 가 알 아 주 랴 영 광 할 렐
루 야 나 자 주 넘 어 집 니 다 오 주
저 마 귀 유 혹 합 니 다 오 주
여 나 자 주 실 패 함 니 다 오 주 여
여 나 승 리 하 게 합 소 서 오 주 여
그 누 가 나 의 괴 롬 알 며 또 나 의 슬 픔 알 까
주 밖 에 누 가 알 아 주 랴 영 광 할 렐 루 야

12. 그 크신 하나님의 사랑(404. 새304장)

통일찬송가 404장

F.M.Lehman Arr.Leewangjae

Alto 1. 2(Bar) Sax.
Tenor. Soprano Sax.
1.그 크 신 하 나 님 의 사 랑 말 로 다 형 용 못 하
3.하 늘 을 두 루 마 리 삼 고 바 다 를 먹 물 삼 아
네 저 높 고 높 은 별 을 넘 어 이 낮 고 낮 은 땅 위 에 죄 범 한
도 한 없 는 하 나 님 의 사 랑 다 기 록 할 수 없 겠 네 하 나 님
영 혼 구 하 려 그 아 들 보 내 사 화 목 제 로 삼 으 시
의 크 신 사 랑 그 어 찌 다 쓸 까 저 하 늘 높 이 쌓 아
고 죄 용 서 하 셨 네 하 나 님 크 신 사 랑 은 측 량 다
도 채 우 지 못 하 리
못 하 며 영 원 히 변 치 않 는 사 랑 성 도 여 찬 양 하 세

13. 기도하는 이 시간(480. 새361장)

F.J.Crosby/W.H.Doane Arr.Leewangjae

Alto 1. 2(Bar) Sax.
Tenor. Soprano Sax.
1.기 도 하 는 이 시 간 주 께 무 릎 꿇
4.기 도 하 는 이 시 간 주 를 의 지 하
고 우 리 구 세 주 앞 에 다 나 옵 니 다 믿 음
고 크 신 은 혜 구 하 면 꼭 받 으 리 라 의 지
으 로 나 가 면 주 가 보 살 피 사 크 신 은 사 를
하 는 마 음 에 근 심 사 라 지 리
주 네 거 기 기 . 쁨 있 네 기 도 시 - 간 에 복 을
주 - 시 네 곤 한 내 마 음 속 에 기 쁨 충 . 만 하 네

14. 기쁘다 구주 오셨네(115. 새115장)

I. Watts, Arr. from G. F. Handel Arr.Leewangjae

Alto 1. 2(Bar) Sax.
Tenor. Soprano Sax.
1.기 쁘 다 구 주 오 셨 네 만 백 성
4.은 혜 와 진 리 되 신 주 다 주 관
맞 아 라 온 교 - 회 - 여 - - 다 일 - 어 - 나 - - 다
하 시 니 만 국 - 백 - 성 - - 구 주 - 앞 - 에 - - 다
찬 양 하 여 - 라 다 - 찬 양 하 여 - 라 다 -
경 배 하 여 - 라 다 - 경 배 하 여 - 라 다 -
찬 양 찬 - - 양 하 여 라
경 배 경 - - 배 하 여 라 아 멘

15. 나 가나안 땅 귀한 성에(221. 새246장)

Anonymous. Arr. Leewangjae
Alto 1. 2(Bar) Sax.
Tenor. Soprano Sax.
1.나 가 나 안 땅 귀 한 성 에 들 어 가 려 고 내
3.내 주 린 영 혼 만 나 로 써 먹 여 주 시 니 그
중 한 짐 을 벗 어 버 렸 네 죄 중 에 다 시 방 황 할 일
양 식 내 게 생 명 되 겠 네 이 후 로 생 명 양 식 주 와
전 혀 없 으 니 저 생 명 시 냇 가 에 살 겠 네 길 이 살 겠 네 나
함 께 먹 으 며 저 생 명 시 냇 가 에 살 겠 네
길 이 살 겠 네 저 생 명 시 냇 가 에 살 겠 네
길 이 살 겠 네 나 길 이 살 겠 네 저 생 명 시 냇 가 에 살 겠 네

16. 나 어느곳에 있든지(466. 새408장)

통일찬송가 466장

J.S.Brown/L.O.Brown. Arr. Leewangjae

Alto 1. 2(Bar) Sax.
Tenor. Soprano Sax.
1.나 어 느 곳 에 있 든 지 늘 맘 이 편 하
4.주 예 수 온 갖 고 난 을 왜 몸 소 당 했
다 주 예 수 주 신 평 안 함 늘 충 만 하 도 다
나 주 함 께 고 난 받 으 면 면 류 관 얻 겠 네 나 의
맘 속 이 늘 평 안 해 나 의 맘 속 이 늘 평 안 해 악 한
죄 파 도 가 많 으 나 맘 이 늘 평 안 해

17. 나 행한 것 죄 뿐이니(332. 새274장)

W.C.Smith/F.H.Byshe. Arr. Leewangjae

Alto 1. 2(Bar) Sax.
Tenor. Soprano Sax.
1.나 행 한 것 죄 뿐 이 니 주 예 수 께 비 옵 기
4.못 된 행 실 다 고 치 고 죄 질 생 각 다 버 려
는 나 의 몸 과 나 의 맘 을 깨 끗 하 게 하 옵 소 서 물 가 지
도 주 앞 에 서 정 결 타 고 자 랑 치 는 못 하 리 라
고 날 씻 든 지 불 가 지 고 태 우 든 지 내 안 과
밖 다 닦 으 사 내 모 든 죄 멸 하 소 서

18. 나는 갈길 모르니(421. 새375장)

통일찬송가 421장

E.Hopper/J.E.Gould. Arr. Leewangjae

Alto 1. 2(Bar) Sax.
Tenor. Soprano Sax.
1.나 는 갈 길 모 르 니 주 여
4.맘 이 심 히 슬 프 니 나 를
인 도 합 소 서 어 디 가 야 좋 을 지 나 를
위 로 합 소 서 의 지 없 이 다 니 니 나 를
인 도 합 소 서 어 디 가 야 좋 을 지 나 를
위 로 합 소 서 의 지 없 이 다 니 니 나 를
인 도 합 소 서
위 로 합 소 서 아 멘

19. 나의 사랑하는 책(234. 새199장)

M.B.Williamss/C.D.Tillman Arr.Leewangjae

Alto 1. 2(Bar) Sax.
Tenor. Soprano Sax.
1.나 의 사 랑 하 는 책 비 록 헤 어 졌 으 나 어 머
4.그 때 일 은 지 나 고 나 의 눈 에 환 하 오 어 머
님 의 무 릎 위 에 앉 아 서 재 미 있 게 듣 던 말 그 때
님 의 말 씀 기 억 하 면 서 나 도 시 시 때 때 로 성 경
일 을 지 금 도 내 가 잊 지 않 고 기 억 합 니 다 귀 하 고 (귀 하 고) 귀 하
말 씀 읽 으 며 주 의 뜻 을 따 라 살 려 합 니 다
다 (귀 하 다) 우 리 어 머 님 이 들 려 주 시 던 - - - 재 미
있 게 듣 던 말 이 책 중 에 있 으 니 이 . 성 경 심 히 사 랑 합 니 다

20. 나의 생명 되신 주(424. 새380장)

F.J.Crosby/W.H.Doane Arr. Leewangjae

Alto 1. 2(Bar) Sax.
Tenor. Soprano Sax.
1.나 의 생 명 되 신 주 주 님 앞 에 나 아 갑 니
3.세 상 살 아 갈 때 에 주 를 더 욱 사 랑 합 니
다 주 의 흘 린 보 혈 로 정 케 하 사 받 아 주 소 서 날 마
다 밝 고 빛 난 천 국 에 나 의 영 혼 들 어 가 겠 네
다 주 를 날 마 다 주 를 주 를 찬 송 하 겠 네 주 의 사 랑 의 줄
로 나 를 굳 게 잡 아 매 소 서 아 멘

21. 나의 죄를 씻기는(184. 새252장)

R.Lowry/R.Lowry Arr.Leewangjae

Alto 1. 2(Bar) Sax.

Tenor. Soprano Sax.

1나 의 죄 를 씻 기 는
5.영 원 토 록 내 할 말

예 수 의 피 밖 에 없 네 다 시 성 케 하 기 도
예 수 의 피 밖 에 없 네 나 의 찬 미 제 목 은

예 수 의 피 밖 에 없 네 예 수 의 흘 린 피
예 수 의 피 밖 에 없 네

날 희 게 하 오 니 귀 하 고 귀 하 다

예 수 의 피 밖 에 없 네

22. 날 대속하신 예수께(351. 새321장)

R.E.Hudson/C.R.Dunbar. Arr. Leewangjae

Alto 1. 2(Bar) Sax.
Tenor. Soprano Sax.
1.날 대 속 하 신 예 수 께 내 생 명 모 두
3.주 십 자 가 에 달 리 사 날 자 유 하 게
드 리 니 늘 진 실 하 게 하 소 서 내 구 주 예 수 여 나
했 으 니 내 몸 과 맘 을 주 위 해 다 쓰 게 하 소 서
구 주 위 해 살 리 라 내 기 쁨 한 량 없 으 리 내 갈 길 인 도
하 소 서 내 구 주 예 수 여 아 멘

23. 날 위하여 십자가의(403. 새303장)

R.Lowry Arr.Leewangjae
Alto 1. 2(Bar) Sax.
Tenor. Soprano Sax.
1.나 위 하 여 십 자 가 의 중 한 고 통 받 으 사 대 신 죽 은 주 예 수 의 사 랑 하 신 은 혜 여 보 배 로 운 피 를 흘 려 영 영 죽 을 죄 에 서 구 속 함 을 얻 은 우 리 어 찌 찬 양 안 할 까
3.이 세 상 의 모 진 풍 파 쉬 지 않 고 불 어 도 주 님 안 에 보 호 받 는 우 리 마 음 편 하 다 보 늘 깨 어 서 기 도 하 고 저 천 국 을 바 라 며 주 님 만 을 기 다 리 니 어 찌 찬 양 안 할 까

24. 날마다 주와 버성겨(333. 새275장)

L.DeArmond/B.D.Ackley. Arr. Leewangjae

Alto 1. 2(Bar) Sax.
Tenor. Soprano Sax.
1.날 마 다 주 와 버 성 겨 그 크 신 사 랑 버 리
3.내 죄 를 담 당 하 신 주 새 희 망 비 취 주 시
고 방 탕 한 길 로 가 다 가 어 머 니 기 도 못 잊
니 내 기 쁜 정 성 다 하 여 주 이 름 찬 송 하 겠
어 나 집 에 돌 아 갑 니 다 어 머 니 기 도 못 잊
네
어 새 사 람 되 어 살 려 고 나 집 에 돌 아 갑 니 다

25. 내 갈 길 멀고 밤은 깊은데(429. 새379장)

J.H.Newman/J.B.Dykes. Arr. Leewangjae

Alto 1. 2(Bar) Sax.
Tenor. Soprano Sax.
1.내 갈 길 멀고 밤은 깊은 데 빛 되신
3.이 전에 나를 인도하신 주 장래에
주 저 본향 집을 향해 가는 길 비추소서
도 내 앞에 험산준령 당할 때 도우소서
내 가는 길 다 알지 못 하나
밤 지나고 저 밝은 아침에
한 걸음 씩 늘 인도하 소서
기쁨으로 내 주를 만 나리 아 멘

26. 내 눈을 들어 두루 살피니(73. 새73장)

J.Campbell/C.H.Purday. Arr. Leewangjae

Alto 1. 2(Bar) Sax.
Tenor. Soprano Sax.
1.내 눈 을 들 어 두 루 살 피
4.여 호 와 나 의 영 혼 지 키
니 산 악 이 라 날 돕 는 구 원
사 돌 보 시 며 내 모 든 환 난
어 디 서 오 나 그 어 디 서 하 늘 과
면 케 하 시 고 늘 지 키 네 이 날 로
땅 을 지 은 여 호 와 날 도 와
부 터 영 원 무 궁 히 주 너 의
주 심 확 실 하 도 다
출 입 지 켜 주 시 리 아 멘

27. 내 맘에 한 노래 있어(468. 새410장)

P.P.Bilhorn. Arr. Leewangjae

Alto 1. 2(Bar) Sax.
Tenor. Soprano Sax.
1.내 맘 에 한 노 래 있 어 나 즐 겁 게 늘 부 르
4.이 평 화 를 얻 으 려 고 주 앞 으 로 나 아 갈
네 이 노 래 를 부 를 때 에 큰 평 화 임 하 도
때 주 예 수 님 우 리 에 게 이 평 화 주 리 로
다 평 화 평 화 하 나 님 주 신 선 물 오
다
크 고 놀 라 운 평 화 하 나 님 선 물 일 세

28. 내 본향 가는 길(292. 새607장)

통일찬송가 292장

Anonymous. Arr. Leewangjae

Alto 1. 2(Bar) Sax.
Tenor. Soprano Sax.
1.내 본 향 가 는 길 보 이 도
3.평 생 에 행 한 일 돌 아 보
다 인 생 의 갈 길 을 다 달 리
니 못 다 한 일 많 아 부 끄 럽
고 땅 위 의 수 고 를 그 치 라 하 시 니
네 아 버 지 사 랑 이 날 용 납 하 시 고
내 앞 에 남 은 일 오 직 저 길
생 명 의 면 류 관 주 시 리 라

29. 내 죄 속해 주신 주께(354. 새215장)

D.M.James/Anonymous. Arr. Leewangjae

Alto 1. 2(Bar) Sax.

1.내 죄 속 해 주 신 주 께
4.신 기 하 고 놀 랍 도 다

Tenor. Soprano Sax.

힘 과 정 성 다 하 니 나 의 온 갖 언 행 심 사
영 광 스 런 왕 의 왕 나 를 친 구 삼 아 주 사

주 를 위 한 것 일 세 내 게 있 는 모 든 것 을
편 히 쉬 게 하 시 네 주 의 날 개 아 래 숨 어

주 를 위 해 바 치 리 내 게 있 는 모 든 것 을
영 원 안 식 얻 겠 네 주 의 날 개 아 래 숨 어

주 를 위 해 바 치 리
영 원 안 식 얻 겠 네

30. 내 주님 입으신 그 옷은(87. 새87장)

H.Barrachough. Arr. Leewangjae
Alto 1. 2(Bar) Sax.
Tenor. Soprano Sax.
1.내 주 님 입 으 신 그 옷 은 참 아 름 다 와 라 그 향 기 내 맘 에 사 무 쳐 내 기 쁨 되 도 다
4.내 주 님 영 광 의 옷 입 고 참 문 열 어 주 실 때 나 주 님 나 라 에 들 어 가 영 원 히 살 겠 네
시 온 성 보 다 더 찬 란 한 저 천 성 떠 나 서 이 천 한 세 상 오 신 주 참 내 구 주 님

31. 내 평생 소원 이것뿐(376. 새450장)

C.G.Glaser Arr. Leewangjae

Alto 1. 2(Bar) Sax.
Tenor. Soprano Sax.
1.내 평 생 소 원
5.살 같 이 빠 른
이 것 뿐 주 의 일 하 다 가 이
광 음 을 주 위 해 아 끼 세 온
세 상 이 별 하 는 날 주 앞 에 가 리
몸 과 맘 을 바 치 고 힘 써 서 일 하
라
세 아 멘

32. 내가 깊은 곳에서(479. 새363장)

Anonymous/D.S.Bortniansky Arr.Leewangjae
Alto 1. 2(Bar) Sax.f
Tenor. Soprano Sax.
1.내 가 깊 은 곳 에 서
4.이 스 라 엘 백 성 아
주 께 불 러 아 뢰 니 주 여
주 만 믿 고 바 라 라 주 의
나 의 간 구 를 들 어 주 심
깊 은 은 총 에 우 리 구 원
바 라 고 보 좌 앞 에 나 가
있 으 니 변 함 없 는 주 님
니 은 혜 - 내 려 줍 소 - 서
만 믿 고 - 기 다 릴 지 라

33. 내가 매일 기쁘게(427. 새191장)

H.Buffum/D.M.Shanks Arr.Leewangjae

Alto 1. 2(Bar) Sax.
Tenor. Soprano Sax.
1.내 가 매 일 기 쁘 게 순 례 의 길 행 함 은 주 의
4.세 상 모 든 정 욕 과 나 의 모 든 욕 망 은 십 자
팔 이 나 를 안 보 함 이 요 내 가 주 의 큰 복 을 받 는
가 에 이 미 못 을 박 았 네 어 둔 밤 이 지 나 고 무 거
참 된 비 결 은 주 의 영 이 함 께 함 이 라 성 령
운 짐 벗 으 니 주 의 영 이 함 께 함 이 라
이 성 령 이 계 시 네 계 시 네 할 렐 루 야 함 께 하 시 네 좁 은
길 을 걸 으 며 밤 낮 기 뻐 하 는 것 주 의 영 이 함 께 함 이 라

34. 내가 참 의지하는 예수(86. 새86장)

P.P.Bilhorn/P.P.Bilhorn. Arr.Leewangjae
Alto 1. 2(Bar) Sax.
Tenor. Soprano Sax.
1.내 가 참 의 지 하 는 예 수 나 의
4.이 후 에 천 국 올 라 가 서 모 든
상 처 입 은 심 령 을 불 쌍 하 게 여 기 사 위 로
성 도 들 과 다 함 께 우 리 들 을 구 하 신 주 를
하 여 주 시 니 미 쁘 신 나 의 좋 은 친 구 내
찬 양 하 리 라 미 쁘 신 나 의 좋 은 친 구
가 의 지 하 는 예 수 나 의 사 모 하 는 친 구 나 의
기 도 들 으 사 응 답 하 여 주 시 니 미 쁘 신 나 의 좋 은 친 구

35. 너 하나님께 이끌리어((341. 새312장)

G.Neumark. Arr. Leewangjae

Alto 1. 2(Bar) Sax.
Tenor. Soprano Sax.
1.너 하 나 님 께 이 끌 리 어
3.주 찬 양 하 고 기 도 하 며
일 평 생 주 만 바 라 면 너 어 려
네 본 분 힘 써 다 하 라 주 약 속
울 때 힘 주 시 고 언 제 나 지 켜
하 신 모 든 은 혜 네 게 서 이 뤄
주 시 리 주 크 신 사 랑 믿 는 자
지 리 라 참 되 고 의 지 하 는 자
그 반 석 위 에 서 리 라
주 께 서 기 억 하 시 리 아 멘

36. 너희 죄 흉악하나(187. 새255장)

F.J.Crosby/W.H.Doane. Arr. Leewangjae

Alto 1. 2(Bar) Sax.
Tenor. Soprano Sax.
1.너 희 죄 흉 악 하 나 눈 과 같 이 희 겠 네 너 희
3.너 희 죄 사 해 주 사 기 억 아 니 하 시 네 너 희
죄 흉 악 하 나 눈 과 같 이 희 겠 네 죄 의 빛 흉 악
죄 사 해 주 사 기 억 아 니 하 시 네 불 쌍 한 사 람
하 나 희 게 되 리 라 주 홍 빛 같 은 네 죄 주 홍
들 아 오 라 하 시 네 너 희 죄 사 해 주 사 너 희
빛 같 은 네 죄 눈 과 같 이 희 겠 네 눈 과 같 이 희 겠 네
죄 사 해 주 사 기 억 아 니 하 시 네 기 억 아 니 하 시 네

37. 눈을 들어 산을 보니(433. 새383장)

복의 근원 강림하사(28. 새28장) Anonymous/J.Wyeth Arr.Leewangjae

Alto 1. 2(Bar) Sax.
Tenor. Soprano Sax.
1.2눈 을 들 어 산 을 보 니 도 움 어 디 서 오
1.3복 의 근 원 강 림 하 사 찬 송 하 게 하 소
나 천 지 지 은 주 여 호 와 나 를 도 와 주 시 네 너 의 -
서 한 량 없 이 자 비 하 심 측 량 할 길 없 도 다 천 사 -
발 이 실 족 않 - 게 주 가 - 깨 어 지 키 며 택 한 백 성 항 상
들 의 찬 송 가 - 로 나 를 - 가 르 치 소 서 구 속 하 신 그 사
지 켜 길 이 보 호 하 시 네
랑 을 항 상 찬 송 합 니 다 아 멘

38. 다 감사드리세(20. 새66장)

M.Rinkart/J.Cruger. Arr. Leewangjae
Alto 1. 2(Bar) Sax.
Tenor. Soprano Sax.
1.다 감 사 드 리 세 온
3.감 사 와 찬 송 을 다
맘 을 주 께 바 쳐 그 섭 리 놀 라 와 온
주 께 드 리 어 라 저 높 은 곳 에 서 다
세 상 기 뻐 하 네 예 부 터 주 신
스 리 시 는 주 님 영 원 한 하 나
복 한 없 는 그 사 랑 선 물 로 주 시
님 다 경 배 할 지 라 전 에 도 이 제
네 이 제 와 영 원 히
도 장 래 도 영 원 히 아 멘

39. 다 함께 주를 경배하세(22. 새12장)

B.Crasselius/Anonymaouse. Arr. Leewangjae
Alto 1. 2(Bar) Sax.
Tenor. Soprano Sax.
1.다 함 께 주 를 경 배 - 하 세 주
4.말 할 수 없 는 탄 식 - 으 로 나
같 은 이 가 어 디 있 을 까 주 앞 에
위 해 친 히 간 구 하 시 는 주 성 령
찬 양 을 드 - 리 니 주 성 령 이 여
날 항 상 돕 - 나 니 이 천 한 몸 은
나 를 도 우 사 주 기 뻐 하 실 노 래 불 러 서 그
주 의 것 이 며 주 님 의 기 업 이 을 자 임 을 나
이 름 찬 양 하 게 하 소 서
밝 히 알 게 하 여 주 소 서 아 멘

40. 달고 오묘한 그 말씀(235. 새200장)

새찬송가 200장
P.P.Bliss/P.P.Bliss Arr.Leewangjae
Alto 1. 2(Bar) Sax.
Tenor. Soprano Sax.
1.달 고 오 묘 한 그 말 씀 생 명 의 말 씀
3.널 리 울 리 고 퍼 지 는 생 명 의 말 씀
은 귀 한 그 말 씀 진 실 로 생 명 의 말 씀 이
은 맘 에 용 서 와 평 안 을 골 고 루 주 나 니
나 의 길 . 과 믿 음 밝 히 보 . 여 주 니
다 만 예 . 수 말 씀 들 어 복 . 을 받 네 아 름 답 고
귀 한 말 씀 생 명 샘 이 로 다 아 름 답 고
귀 한 말 씀 생 명 샘 이 로 다 아 멘

41. 만백성 기뻐하여라(117. 새117장)

English Traditional Corol Arr.Leewangjae

Alto 1. 2(Bar) Sax.
Tenor. Soprano Sax.
1.만 백 성 기 뻐 하 여 라 하 늘 의 평 화
3.그 천 사 가 말 하 기 를 무 서 워 말 아
가 저 마 귀 권 세 이 기 고 우 리 를 구 했
라 동 정 녀 의 몸 을 빌 어 주 탄 생 하 셨
네 구 세 주 탄 생 하 심 을 다 함 께 기 리
네 높 은 곳 엔 주 께 영 광 땅 에 는 평 화
세 -
라 - 오 - 기 쁘 다 반 가 운 소 식 주 오 셨
네 - 이 - 땅 위 에 평 화 내 리 시 네

42. 만세반석 열린 곳에((439. 새386장)

M.D.James/W.W.Bently Arr. Leewangjae

Alto 1. 2(Bar) Sax.
Tenor. Soprano Sax.
1.만 세 반 석 열 린 곳 에
4.험 한 풍 파 지 나 도 록
내 가 숨 어 있 으 니 원 수 마 귀
순 풍 으 로 도 우 사 평 화 로 운
손 못 대 고 환 난 풍 파 없 도 다
피 난 처 에 길 이 살 게 하 소 서
만 세 반 석 열 린 곳 에 내 가 편 히
쉬 리 니 나 의 반 석 구 주 예 수
나 를 숨 겨 주 소 서 아 멘

43. 만 입이 내게 있으면(23. 새23장)

C. Wesley, L. Mason Arr.Leewangjae

Alto 1. 2(Bar) Sax.
Tenor. Soprano Sax.
1.만 입 이 내 게
4.내 죄 의 권 세
있 으 면 그 입 다 가 지 고 내
깨 뜨 려 그 결 박 푸 시 고 이
구 주 주 신 은 총 을 늘 찬 송 하 겠
추 한 맘 을 피 로 써 곧 정 케 하 셨
네
네 아 멘

44. 먹보다도 더 검은(213. 새423장)

Anonymous/W.J.Kirpatrick Arr. Leewangjae

Alto 1. 2(Bar) Sax.
Tenor. Soprano Sax.
1.먹 보 다 도 더 검 은 죄 로
4.나 의 모 든 보 배 는 저 천
물 든 이 마 - 음 - 흰 눈 보 다 더 희 게 깨 끗
국 에 쌓 였 - 네 - 나 의 평 생 자 랑 은 주 의
하 게 씻 겼 네 주 의 보 혈 흐 르 는 데 믿 고 뛰 어 나 아
십 자 가 로 다
가 주 의 은 혜 내 가 입 어 깨 끗 하 게 되 었 네

45. 무덤에 머물러(150. 새160장)

새찬송가 160장
R.Lowry/R.Lowry Arr. Leewangjae
Alto 1. 2(Bar) Sax.
Tenor. Soprano Sax.
1.무 덤 에 머 물 러 예 수 내
3.거 기 못 가 두 네 예 수 내
구 주 새 벽 기 다 렸 네 예 수 내 주
구 주 우 리 를 살 리 네 예 수 내 주
원 수 를 다 이 기 고 이 기 고 무 덤 에 서 살 아 나 셨 네 나 셨 네 어 두
움 을 이 기 시 고 나 와 서 성 도 함 께 길 이 다 스 리 시 네 사 셨
네 사 셨 네 사 셨 네 사 셨 네 예 수 다 시 사 셨 네

46. 불길 같은 주 성령(173. 새184장)

C.W.Fry/Old English Air Arr. Leewangjae

Alto 1. 2(Bar) Sax.
Tenor. Soprano Sax.
1.불 길 같 은 주 성 령 간 구 하 는 우 리
4.구 속 하 신 주 께 서 허 락 하 신 성 령
게 지 금 강 림 하 셔 서 영 광 보 여 주 소
을 믿 고 간 구 하 오 니 지 금 내 려 주 소
서 성 령 이 여 임 하 사 우 리 영 의 소 원 을 만
서
족 하 게 하 소 서 기 다 리 는 우 리 게 불 로
불 로 충 만 하 게 하 소 서 아 멘

47. 비둘기 같이 온유한(171. 새187장)

S. Browne G. Hews Arr. Leewangjae

Alto 1. 2(Bar) Sax.

Tenor. Soprano Sax.

1.비 둘 기 같 이
4.연 약 한 나 를

온 - 유 - 한 은 혜 의 성 령 -
도 - 우 - 사 하 늘 의 먼 길 -

오 - 셔 - 서 거 친 맘 어 루
다 - 가 - 서 주 님 의 품 에

만 - 지 - 사 위 로 와 평 화
안 - 기 - 는 영 원 한 안 식

주 소 서
주 소 서 아 - 멘

48. 비바람이 칠 때와(441. 새388장)

C.Wesley/S.B.Marsh Arr.Leewangjae

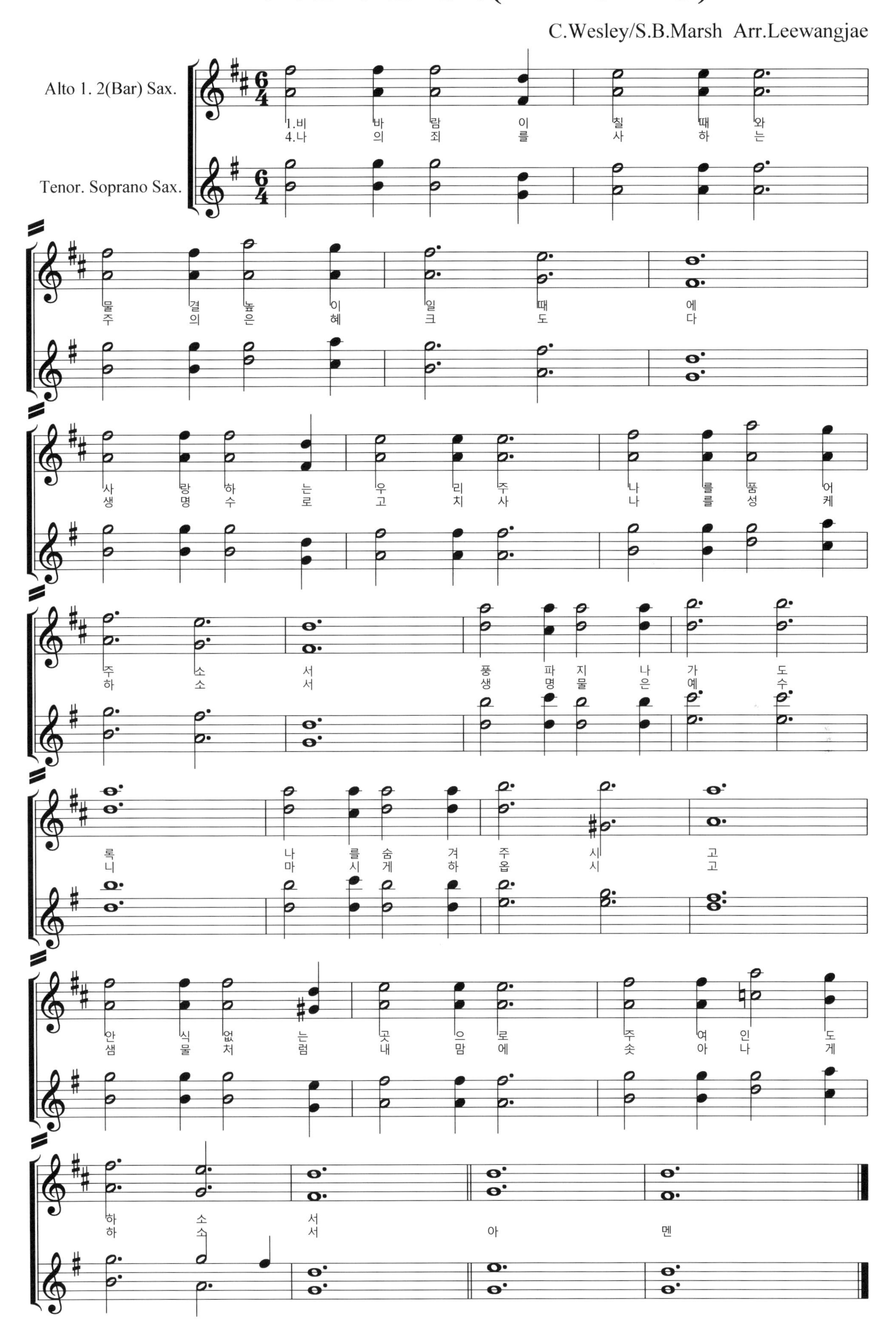

Alto 1. 2(Bar) Sax.
Tenor. Soprano Sax.
1.비바람이 칠 때와 물결 높이 일 때에 사랑하는 우리 주 나를 품어 주소서 풍파 지나가도록 나를 숨겨 주시고 안식 없는 곳으로 주여 인도하소서
4.나의 죄를 사하는 주의 은혜 크도다 생명수로 고치사 나를 성케 하소서 생명수물은 예수니 마시게 하옵시고 샘물처럼 내 맘에 솟아나게 하소서 아멘

49. 빈들에 마른 풀같이(172. 새183장)

D.W.Whittle/J.McGranahan Arr. Leewangjae

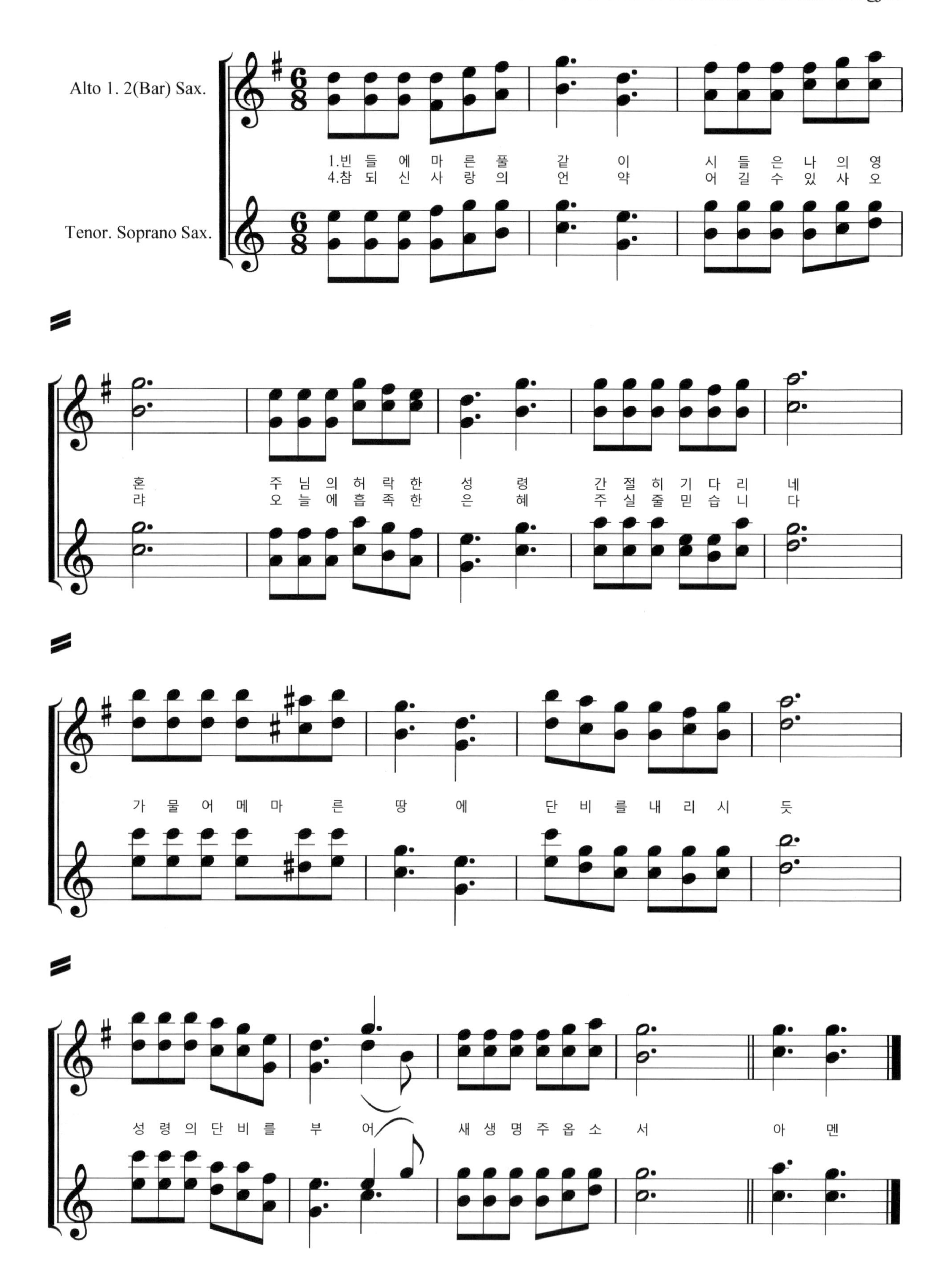
Alto 1. 2(Bar) Sax.
Tenor. Soprano Sax.
1.빈 들 에 마 른 풀 같 이 시 들 은 나 의 영
4.참 되 신 사 랑 의 언 약 어 길 수 있 사 오
혼 주 님 의 허 락 한 성 령 간 절 히 기 다 리 네
랴 오 늘 에 흡 족 한 은 혜 주 실 줄 믿 습 니 다
가 물 어 메 마 른 땅 에 단 비 를 내 리 시 듯
성 령 의 단 비 를 부 어 새 생 명 주 옵 소 서 아 멘

50. 샤론의 꽃 예수(89. 새89장)

I. L. Guirey, C. H. Gabriel Arr. Leewangjae
Alto 1. 2(Bar) Sax.
Tenor. Soprano Sax.
1.샤 론 의 꽃 예 수 나 의 마 음 에
4.샤 론 의 꽃 예 수 길 이 피 소 서
거 룩 하 고 아 름 답 게 피 소 서 내 생 명 이
주 의 영 광 이 땅 위 에 가 득 해 천 하 만 민
참 사 랑 의 향 기 로 간 데 마 다 풍 겨
주 님 앞 에 엎 드 려 경 배 하 며 영 광
나 게 하 소 서 예 수 나 의 주 여 샤 론 의 꽃 샤 론
돌 릴 때 까 지
의 꽃 나 의 - 맘 에 사 랑 으 로 피 소 서

51. 세상 모두 사랑 없어(373. 새503장)

통일찬송가 373장
E.O.Excell. Arr. Leewangjae
Alto 1. 2(Bar) Sax.
Tenor. Soprano Sax.
1.세 상 모 두 사 랑 없 어 냉 냉 함 을 아 느
4.기 갈 중 에 있 는 영 혼 사 랑 받 기 원 하
냐 곳 곳 마 다 사 랑 없 어 탄 식 소 리 뿐 일 세 악 을
며 아 이 들 도 소 리 질 러 사 랑 받 기 원 하 네 저 희
선 케 만 들 고 모 든 소 망 채 우 는 사 랑 얻 기 위 하
소 리 들 을 때 가 서 도 와 줍 시 다 만 민 중 에 나 가
여 저 들 오 래 참 았 네 사 랑 없 는 까 닭 에 사 랑
서 예 수 사 랑 전 하 세 예 수 사 랑 전 하 세 예 수
없 는 까 닭 에 사 랑 위 해 저 희 들 오 래 참 고 있 었 네
사 랑 전 하 세 만 민 중 에 나 가 서 예 수 사 랑 전 하 세

52. 세상 모든 풍파 너를 흔들어(489. 새429장)

C.B.Widmeyer. Arr. Leewangjae

Alto 1. 2(Bar) Sax.
Tenor. Soprano Sax.
1.세 상 모 든 풍 파 너 를 흔 - 들 - 어 약 한 마 음
3.세 상 권 세 너 의 앞 길 막 - 을 - 때 주 만 믿 고
낙 심 하 게 될 - 때 - 에 내 려 주 신 주 의 복 을 세 - 어 - 라
낙 심 하 지 말 - 아 - 라 천 사 들 이 너 를 보 호 하 - 리 - 니
주 의 크 신 복 을 네 가 알 - 리 - 라 받 - - 은 복 을 세 어
염 려 없 이 앞 만 보 고 나 - 가 - 라
보 - 아 - 라 크 신 복 을 네 가 알 - 리 - 라 받 은
복 을 모 두 세 어 보 아 라 주 의 크 신 복 을 네 가 알 리 라

53. 시온의 영광이 빛나는 아침(248. 새550장)

T.Hastings/L.Mason Arr. Leewangjae

Alto 1. 2(Bar) Sax.
Tenor. Soprano Sax.
1.시 온 의 영 광 이 빛 나 는
4.땅 들 아 바 다 야 많 은 섬
아 침 어 둡 던 이 땅 이 밝 아 오 네
들 아 찬 양 을 주 님 께 드 리 어 라
슬 픔 과 애 통 이 기 쁨 이 되 니 시 온 의
싸 움 과 죄 악 의 참 혹 한 땅 에 찬 송 이
영 광 . 이 비 쳐 오 네
하 늘 . 에 사 무 치 네 아 멘

54. 신자되기 원합니다(518. 새463장)

American Spiritual Arr.Leewangjae
Alto 1. 2(Bar) Sax.
Tenor. Soprano Sax.
1.신 자 되 기 원 합 니 다 진 심 으
4.예 수 닮 기 원 합 니 다 진 심 으
로 진 심 으 로 신 자 되 기 원 합
로 진 심 으 로 예 수 닮 기 원 합
니 다 진 심 으 로 진 심 으 로
니 다
- 진 심 으 로 - 신 자
예 수
되 기 원 합 니 다 진 심 으 로
닮 기 원 합 니 다 아 멘

55. 십자가 군병들아(390. 새352장)

G.Duffield/G/J.Webb Arr.Leewangjae

Alto 1. 2(Bar) Sax.
Tenor. Soprano Sax.
1.십 자 가 군 병 들 아 주
4.십 자 가 군 병 들 아 주
위 해 일 어 나 기 들 고 앞 서 나 가 굳
위 해 일 어 나 이 날 에 접 전 하 고 곧
세 게 싸 워 라 주 께 서 승 전 하 고 영
개 가 부 르 리 승 전 한 군 사 들 은 영
광 을 얻 도 록 그 군 대 거 느 리 사 늘
생 을 얻 으 며 영 광 의 주 와 함 께 왕
이 김 주 시 네
노 릇 하 리 라 아 멘

56. 십자가 그늘 밑에 나 쉬기 원하네(471. 새415장)

E.C.Clephane/F.C.Maker. Arr. Leewangjae

Alto 1. 2(Bar) Sax.

Tenor. Soprano Sax.

1.십 자 가 그 늘 밑 에 나
3.십 자 가 그 늘 에 서 나

쉬 기 원 하 네 저 햇 빛 심 히 쬐 이 고 또
길 이 살 겠 네 나 사 모 하 는 광 채 는 주

짐 이 무 거 워 이 광 야 같 은
얼 굴 뿐 이 라 이 세 상 나 를

세 상 에 늘 방 황 할 때 에 주 십 자 가 의
버 려 도 나 관 계 없 도 다 내 한 량 없 는

그 늘 에 내 쉴 곳 찾 았 네
영 광 은 십 자 가 뿐 이 라 아 멘

57. 아 내 맘속에(473. 새411장)

A.S.Murphy Arr. Leewangjae

Alto 1. 2(Bar) Sax.
Tenor. Soprano Sax.
1.아 - 내 맘 속 에 참 된 평 화 있
3.주 - 날 개 아 래 내 가 사 는 동
네 주 예 수 가 주 신 평 화 시 험
안 이 보 배 를 빛 내 리 라 기 쁜
닥 쳐 와 도 흔 들 리 지 않 아 아 귀 하 다
그 날 이 와 주 를 만 나 뵐 때 아 그 평 화
주 가 항 상
이 평 안 함 주 가 항 상 계 셔
영 원 하 리

계 셔 내 맘 속 에
주 가 항 상 계 셔 내 마 음 속 에 내 맘 속 에
주 가 항 상 계 셔 아 기 쁘
주 가 항 상 계 셔 주 가 항 상 계 셔 아 기 쁘 도 다
다 주 나 의 맘 에 계 셔
아 기 쁘 다 주 나 의 맘 에 나 의 맘 에 계 서
위 로 하 시 네
위 로 위 로 하 시 네 어 찌 내 가 주 를
떠 나 살 까

58. 양떼를 떠나서(335. 새277장)

H.Bonar/J.Zundel Arr. Leewangjae

Alto 1. 2(Bar) Sax.
Tenor. Soprano Sax.
1.양 떼 를 떠 . 나 서 길
4.양 떼 를 떠 . 나 서 맘
잃 어 버 . 린 나 목 자 의 소 리 싫 . 어 서 먼
대 로 다 . 녔 네 나 지 금 목 자 따 . 르 며 그
길 로 나 갔 네 방 탕 한 이 . 몸 은 불
음 성 듣 도 다 나 이 제 후 . 로 는 방
효 막 심 . 하 여 부 친 의 음 성 싫 . 어 서 먼
황 치 않 . 으 며 내 아 버 지 의 집 . 에 서 영
길 로 나 갔 네
원 히 살 겠 네 아 멘

59. 어지러운 세상 중에(366. 새340장)

C.F.Alexander/J.Jenks. Arr. Leewangjae

Alto 1. 2(Bar) Sax.
Tenor. Soprano Sax.
1.어 지 러 운 세 상 중 에
4.주 여 크 신 은 혜 로 써
기 쁜 소 리 들 리 네
부 름 듣 게 하 시 고
예 수 말 씀 하 시 기 를
복 종 하 는 맘 을 주 사
믿 는 자 여 따 르 라
따 라 가 게 하 소 서

60. 어저께나 오늘이나(133. 새135장)

A.B.Simpson/J.H.Burke Arr. Leewangjae

Alto 1. 2(Bar) Sax.
Tenor. Soprano Sax.
1.어 저 께 - 나 오 늘 이 나 아 무 때 든
4.엠 마 오 - 로 행 하 시 던 주 님 오 늘
지 영 원 토 - 록 변 함 없 는 거 룩 한 - 말
도 한 결 같 - 이 우 리 곁 에 함 께 계 - 시
씀 믿 고 순 - 종 하 는 이 - 의 생 명 되 시
고 우 리 들 - 을 영 접 해 - 러 다 시 오 실
며 한 량 없 - 이 아 름 다 운 기 쁜 말 일
때 변 함 없 - 는 영 광 의 주 친 히 뵈 오

세
리
어 저 께 - 나 오 늘 이 - 나 영 원 무 - 궁
히 한 결 같 - 은 주 예 수 - 께 찬 양 합 시
다 세 상 지 나 고 변 할 지 - 라 도
영 원 하 - 신 주 예 수 찬 양 합 시 다

61. 여기에 모인 우리(새620장)

Don Besig Arr. Leewangjae

Alto 1. 2(Bar) Sax.
Tenor. Soprano Sax.
1.여 기 에 모 인 우 리 주 의
3.여 기 에 모 인 우 리 사 랑
은 총 받 은 자 여 라 주 께 서 이 자 리
받 는 주 의 자 녀 라 주 께 서 뜻 하 신
에 함 께 계 심 을 아 노 라 언 제
바 우 리 통 해 펼 치 신 다 고 통
나 주 님 만 을 찬 양 하 며 따 라 가 리
과 슬 픔 중 에 더 욱 주 님 의 지 하 오

니 시 험 을 당 할 때 도 함 께
니 어 려 움 이 겨 내 고 주 님
계 심 을 믿 노 라
더 욱 찬 양 하 라 이 믿 음 더 욱 구 세 라 주 가
지 켜 주 신 다 어 둔 밤 에 도 주 의 밝 은 빛 인 도
1.2.
하 여 주 신 다
3.
하 여 주 신 다

62. 영광을 받으신 만유의 주여(375. 새331장)

G.C.Stebbias. Arr. Leewangjae
Alto 1. 2(Bar) Sax.
Tenor. Soprano Sax.
1.영 광 을 받 으 신 만 유 - 의 주 여
3.예 수 를 믿 고 서 늘 사 - 랑 하 여
우 리 가 명 령 을 좇 으 리 다 베 푸 신 은 혜 를
즐 거 운 맘 으 로 섬 기 리 다 온 맘 을 드 리 고
감 사 - 히 알 고 진 실 한 맘 으 로 섬 기 겠 네
순 종 - 한 후 에 구 주 를 영 원 히 섬 기 겠 네
구 주 의 은 혜 주 시 는 대 로 영 원 히
받 들 어 섬 기 겠 네 찬 송 하 겠 네
찬 송 하 겠 네 생 명 을 주 시 는 구 주 로 다

63. 예수 사랑하심을(411, 새563장)

A.B.Warner/W.B.Bradbury Arr.Leewangjae

Alto 1. 2(Bar) Sax.
Tenor. Soprano Sax.
1.예 수 사 랑 하 심 은 거 룩 하 신 말 일 세
4.세 상 사 는 동 안 에 나 와 함 께 하 시 고
우 리 들 은 약 하 나 예 수 권 세 많 도 다 날 사 랑
세 상 떠 나 가 는 날 천 국 가 게 하 소 서
하 심 날 사 랑 하 심 날 사 랑 하 심 성
경 에 써 있 네 아 멘

64. 예수 부활했으니(154. 새164장)

C.Wesley. Lyra Davidica Arr. Leewangjae

Alto 1. 2(Bar) Sax.
Tenor. Soprano Sax.
1.예 수 부 활 했 으 니 할 렐
4.길 과 진 리 되 신 주
루 야 만 민 찬 송 하 여 라 할 렐
우 리 부 활 하 겠 네
루 야 천 사 들 이 즐 거 워
부 활 생 명 되 시 니
할 렐 루 야 기 쁜 찬 송
우 리 부 활
부 르 네 할 렐 루 야 아 멘
하 겠 네

65. 예수가 거느리시니(444. 새390장)

J.H.Gilmore/W.B.Bradbury. Arr. Leewangjae
Alto 1. 2(Bar) Sax.
Tenor. Soprano Sax.
1.예 수 가 거 느 리 시 니 즐
4.이 세 상 이 별 할 때 에 지
겁 고 평 안 - 하 구 나 주 야 에 자 고 깨 는 것 예 -
옥 의 권 세 - 이 기 네 천 국 에 있 을 때 에 도 예 -
수 가 거 - 느 - 리 시 네 주 날 항 상 돌 보 시 - 고 날
수 가 거 - 느 - 리 시 네
친 히 거 - 느 - 리 시 네 주 날 항 상 돌 보 시 - 고 날
친 히 거 - 느 - 리 시 네 아 멘

66. 예수를 나의 구주 삼고(204. 새288장)

F.J.Crosby/P.P.Knapp Arr.Leewangjae

Alto 1. 2(Bar) Sax.

Tenor. Soprano Sax.

1.예 수 로 나 의 구 주 삼 고 성 령 과
3.주 안 에 기 쁨 누 리 므 로 마 음 의

피 로 써 거 듭 나 니 이 세 상 에 서 내 영 혼
풍 랑 이 잔 잔 하 니 세 상 과 나 는 간 곳 없

이 하 늘 의 영 광 누 리 도 다 이 것 이
고 구 속 한 주 만 보 이 도 다

나 의 간 증 이 요 이 것 이 나 의 찬 송 일

세 나 사 는 동 안 끊 임 없 이 구 주 를

찬 송 하 리 로 다 아 멘

67. 오 거룩하신 주님(145. 새145장)

F.J.Crosby/W.H.Doane Arr. Leewangjae

Alto 1. 2(Bar) Sax.
Tenor. Soprano Sax.
1.오 거 룩 하 신 주 - 님 그
3.나 무 슨 말 로 주 - 께 다
상 - 하 - 신 - 머 - 리 조 롱 과 욕 에 싸 - 여 가
감 - 사 - 드 - 리 - 랴 끝 없 는 주 의 사 - 랑 한
시 - 관 - 쓰 - 셨 - 네 아 침 - 해 처 - 럼 밝 - - 던 주
없 - 이 - 고 - 마 - 와 보 잘 - 것 없 - 는 나 - - 를 주
님 의 - 얼 굴 이 고 통 - 과 - 치 욕 으 - 로 창 -
의 것 - 삼 으 사 주 님 - 만 - 사 랑 하 - 며 나 -
백 - 해 지 셨 네
살 - 게 하 소 서 아 멘

68. 오 베들레헴 작은 골(120. 새120장)

P. Brooks, L. H. Redner Arr. Leewangjae
Alto 1. 2(Bar) Sax.
Tenor. Soprano Sax.
1.오 베 들 레 헴 작 은 골 너
4.오 베 들 레 헴 예 수 님 내
잠 들 - 었 느 냐 별 들 만 높 이 빛 나 고 잠
맘 에 - 오 셔 서 내 죄 를 모 두 사 하 고 늘
잠 히 - 있 으 니 저 놀 라 운 빛 지 금 캄
함 께 - 하 소 서 저 천 사 들 의 소 식 나
캄 한 이 밤 에 온 하 늘 두 루
기 뻐 들 으 니 오 임 마 누 엘
비 춘 줄 너 어 찌 모 르 나
주 예 수 내 맘 에 오 소 서 아 멘

69. 오 하나님 우리의 창조주시니(32. 새68장)

J.B.Cady/Arr.E.Kremser. Arr. Leewangjae

Alto 1. 2(Bar) Sax.
Tenor. Soprano Sax.
1.오 하 나 님 우 리 의 창 조 주
3.주 하 나 님 이 름 을 함 께 높
시 니 내 주 님 께 귀 - - 한 것 드 립 니 다 내
이 며 대 주 재 께 영 - - 광 을 돌 리 오 리 그
주 께 만 업 드 려 경 배 드 리 며 내 주 의 이 름
능 력 이 우 리 를 지 켜 주 시 니 주 하 나 님 을
높 이 찬 양 하 네
높 이 찬 양 하 네 아 멘

70. 오늘 모여 찬송함은(287. 새605장)

기뻐하며경배하세(13. 새64장)

H. van Dyke, L. van Beethoven Arr.Leewangjae

Alto 1. 2(Bar) Sax.
Tenor. Soprano Sax.
1.3오 늘 모 여 찬 송 함 은 형 제 자 매
1.4기 뻐 하 며 경 배 하 세 영 광 의 주
즐 거 움 거 룩 하 신 주 뜻 대 로 혼 인 예 식
하 나 님 주 앞 에 서 우 리 마 음 피 어 나 는
행 하 세 신 랑 신 부 이 두 - 사 람 한 몸 - 되 기
꽃 같 아 죄 와 슬 픔 사 라 - 지 고 의 심 - 구 름
원 하 며 온 집 안 이 하 나 되 고 -
걷 히 니 변 함 없 는 기 쁨 의 주 -
한 뜻 되 게 합 소 서
밝 은 빛 을 주 시 네 아 멘

71. 옳은 길 따르라 의의 길을(265. 새516장)

H.E.Nichol/H.E.Nichol Arr.Leewangjae

Alto 1. 2(Bar) Sax.
Tenor. Soprano Sax.
1.옳 은 길 따 르 라 의 의 길 을 세 계
4.고 난 길 헤 치 고 찾 아 온 길 많 은
만 민 이 의 의 길 이 길 따 라 서 살 . 길 을 온
백 성 을 구 한 길 모 두 나 와 서 믿 . 어 라 온
세 계 에 전 하 세 만 백 성 이 나 갈 길 어 둔
세 상 이 마 침 내 이 진 리 에 살 겠 네
밤 지 나 서 동 튼 다 환 한 빛 보 아 라 저 빛 주
예 수 의 나 라 이 땅 에 곧 오 겠 네 오 겠 네

72. 위에 계신 나의 친구(97. 새92장)

J.Oartman Jr./B.F.Butts. Arr. Leewangjae
Alto 1. 2(Bar) Sax.
Tenor. Soprano Sax.
1.위 에 계 신 나 의 친 구 그 의 사 랑 지 극 하
4.그 날 이 와 황 금 길 에 그 의 영 광 바 라 보
다 이 는 예 수 그 리 스 도 나 의 구 주 나 의 친 구
며 그 의 팔 로 날 안 을 때 만 나 보 리 나 의 친 구
사 랑 하 는 나 의 친 구 늘 가 까
이 계 시 도 다 그 의 사 랑 놀 랍 도
다 변 함 없 는 나 의 친 구

73. 은혜가 풍성한 하나님은(178. 새197장)

U.Nakada/M.J.Harris. Arr. Leewangjae

Alto 1. 2(Bar) Sax.
Tenor. Soprano Sax.
1.은 혜 가 풍 성 한 하 나 님 은 믿 는
4.주 님 의 깊 으 신 은 혜 만 을 세 상
자 한 사 람 한 사 람 어 제 나 오 늘 도 언 제
에 널 리 전 하 리 라 하 늘 의 능 력 과 권 세
든 지 변 찮 고 보 호 해 주 시 네 주 여 성 령 의 은 사
로 써 오 늘 도 입 혀 주 옵 소 서
들 을 오 늘 도 내 리 어 줍 소 서 성 령 의 뜨 거 운 불 길
로 써 오 늘 도 충 만 케 합 소 서 아 멘

74. 이 세상 끝날까지((448. 새447장)

J.E.Bode/A.H.Mann Arr. Leewangjae

Alto 1. 2(Bar) Sax.
Tenor. Soprano Sax.
1.이 세 상 끝 날 까 지 주
4.저 영 광 빛 난 곳 을 주
봉 사 하 리 니 내 친 구 되 신 주 여 늘
허 락 했 으 니 그 허 락 하 신 곳 을 늘
함 께 하 소 서 주 나 와 함 께
사 모 합 니 다 끝 까 지 쉬 지
하 면 전 쟁 도 겁 없 고 주 나 를 인 도
않 고 주 따 라 가 리 니 주 넓 은 사 랑
하 면 늘 안 심 하 리 라
안 에 늘 인 도 하 소 서 아 멘

75. 이 세상의 친구들(449. 새394장)

A.A.Luther/A.A.Luther. Arr. Leewangjae

Alto 1. 2(Bar) Sax.

1.이 세 상 의 친 구 들
3.괴 로 운 일 당 해 도

Tenor. Soprano Sax.

나 를 버 려 도 나 를 사 랑 하 는 이
낙 심 말 아 라 영 원 한 주 능 력 이

예 수 뿐 일 세 예 수 내 친 구
붙 드 시 겠 네

날 버 리 잖 네 온 천 지 는

변 해 도 날 - 버 리 지 않 네

76. 이 죄인을 완전케 하옵시고(215. 새426장)

J.L.Nicholson. Arr. Leewangjae

Alto 1. 2(Bar) Sax.
Tenor. Soprano Sax.
1.이 죄 인 을 완 전 케 하 옵 시 고 내
3.그 상 하 신 발 아 래 엎 드 려 서 날
맘 속 에 거 하 심 원 합 니 다 죄 가 운 데
깨 끗 게 하 심 을 비 옵 니 다 날 정 결 케
빠 - 졌 던 몸 과 맘 을 흰 눈 보 다 더 희 게
하 - 는 피 믿 사 오 니 흰 눈 보 다 더 희 게
하 옵 소 서 눈 보 다 더 욱 희 어 지 게 곧
하 옵 소 서
씻 어 서 정 결 케 하 옵 소 서 아 멘

77. 저 건너편 강 언덕에(226. 새237장)

통일찬송가 226장

D.A.DeMarbelle/D.A.DeMarbelle. Arr. Leewangjae

Alto 1. 2(Bar) Sax.
Tenor. Soprano Sax.
1.저 건 너 편 강 언 덕 에 아 름 다 운 낙 원 있 네 믿 는
3.우 리 일 생 다 지 나 고 주 의 품 에 편 히 쉴 때 나 의
이 만 그 곳 으 로 가 겠 네 저 황 금 문 들 어 가 서 주 님
영 혼 자 유 함 을 얻 겠 네 괴 로 운 짐 모 두 벗 고 주 와
함 께 살 리 로 다 너 와 날 위 해 황 금 종 울 린 다 저 울
함 께 살 리 로 다 너 와 날 위 해 황 금 종 울 린 다
리 는 종 소 리 와 천 사 들 의 노 래 소 리 영 광 일 세 할 렐 루 야 기 쁘 다 빛 나
는 저 강 건 너 편 아 름 답 고 영 원 한 곳 너 와 날 위 해 황 금 종 울 린 다

78. 저 뵈는 본향 집(230. 새239장)

P.Cary/P.Phillips. Arr. Leewangjae
Alto 1. 2(Bar) Sax.
Tenor. Soprano Sax.
1.저 뵈 는 본 향 집 날 마 다 가 까
4.내 길 의 원 근 을 분 명 히 모 르
와 내 갈 길 멀 지 않 으 니 전 보 다 가 깝
니 내 주 여 길 다 가 도 록 나 함 께 하 소
다 더 가 깝 고 더 가 깝 다 하 룻 길 되 는
서
내 본 향 가 까 운 곳 일 세 아 멘

79. 저 장미꽃 위에 이슬(499. 새442장)

C.A.Miles Arr. Leewangjae
Alto 1. 2(Bar) Sax.
Tenor. Soprano Sax.
1.저 장 미 꽃 위 에 이 슬 아 직
3.밤 깊 도 록 동 산 위 에 주 와
맺 혀 있 는 그 때 에 귀 에 은 은 히 소 리 들 리 니 주
함 께 있 으 려 하 나 괴 론 세 상 에 할 일 많 아 서 날
음 성 분 명 하 다 주 가 나 와 동 행 을 하 면 서 나 를
가 라 명 하 신 다
친 구 삼 으 셨 네 우 리 서 로 받 은 그 기 쁨 은 알
사 람 이 없 도 다

80. 죄에서 자유를 얻게 함은(202. 새268장)

L.E.Jones/L.E.Jones. Arr. Leewangjae

Alto 1. 2(Bar) Sax.
Tenor. Soprano Sax.
1.죄 에 서 자 유 를 얻 게 함 은 보
4.구 주 의 복 음 을 전 할 제 목 보
혈 의 능 력 주 의 보 혈 시 험 을 이 기 는
혈 의 능 력 주 의 보 혈 날 마 다 나 에 게
승 리 되 니 참 놀 라 운 능 력 이 로 다 주 의 보 혈
찬 송 주 니 참 놀 라 운 능 력 이 로 다
능 력 있 도 다 주 의 피 믿 으 오 주 의
보 혈 그 어 린 양 의 매 우 귀 중 한 피 로 다

81. 죄짐을 지고서 곤하거든(327. 새538장)

L.N.Morris Arr.Leewangjae
Alto 1. 2(Bar) Sax.
Tenor. Soprano Sax.
1.죄 짐 을 지 고 서 곤 하 거 든 네
4.즐 거 운 찬 송 을 하 려 거 든 네
맘 속 에 주 영 접 하 며 새 사 람 되 기 를 원 하 거 든 네
맘 속 에 주 영 접 하 며 평 안 한 복 지 에 가 려 거 든 네
구 주 를 영 접 하 라
구 주 를 영 접 하 라 의 심 을
다 버 리 고 구 주 를 영 접 하 라 맘 문 다
열 어 놓 고 네 구 주 를 영 접 하 라

82. 주 예수 내가 알가 전(98. 새90장)

J.G.Small/G.C.Stebbins. Arr. Leewangjae

Alto 1. 2(Bar) Sax.
Tenor. Soprano Sax.
1.주 예 수 내 가 알 기 전 날 먼 저 사 랑
3.내 진 실 하 신 친 구 여 큰 은 혜 내 려
했 네 그 크 신 사 랑 나 타 나 내 영 혼 거 듭
주 사 날 항 상 보 호 하 시 고 내 방 패 되 옵
났 네 주 내 맘 에 늘 계 시 고 나 주 의 안 에
소 서 그 풍 성 한 참 사 랑 을 뉘 능 히 끊 을
있 어 저 포 도 비 유 같 으 니 참 좋 은 나 의 친 구
소 냐 날 구 원 하 신 예 수 는 참 좋 은 나 의 친 구

83. 주 예수 이름 높이어(36. 새36장)

E.Perronet/O.Holden. Arr. Leewangjae

Alto 1. 2(Bar) Sax.
Tenor. Soprano Sax.
1.주 예 수 이 름 높 이 어 다 찬 양 하 여
4.주 믿 는 성 도 다 함 께 주 앞 에 엎 드
라 금 면 류 관 을 드 려 서 만 유 의
려 무 궁 한 노 래 불 러 서 만 유 의
주 찬 양 금 면 류 관 을 드 려 서 만
주 찬 양 무 궁 한 노 래 불 러 서 만
유 의 주 찬 양
유 의 주 찬 양
아 멘

84. 주 예수님 내 맘에 오사(218. 새286장)

H.D.Clarke. Arr. Leewangjae
Alto 1. 2(Bar) Sax.
Tenor. Soprano Sax.
1.주 예 수 님 내 맘 에 오 사 날
4.주 예 수 님 내 맘 에 오 사 내
붙 들 어 주 시 고 내 마 음 에 새 힘 을
앞 길 인 도 하 여 이 세 상 을 심 판 할
주 사 늘 기 쁘 게 합 소 서
때 에 날 흠 없 게 합 소 서
사 랑 의 주 사 랑 의 주 내 맘 속 에 찾 아
오 사 내 모 든 죄 사 하 시 고 내
상 한 맘 고 치 소 서 아 멘

85. 주 은혜를 받으려(39. 새39장)

N. Gedenckelanck Arr.Leewangjae

Alto 1. 2(Bar) Sax.
Tenor. Soprano Sax.
1.주 은 혜 를 받 으 려 모 여 온
3.주 우 리 의 방 패 와 창 검 되
우 리 주 크 신 뜻 깨 - 닫 게 하 옵 소 서 내
시 니 나 승 리 의 주 - 님 을 따 릅 니 다 큰
고 통 의 멍 에 를 다 벗 게 되 니 날 구 속 하 신
환 난 을 당 할 때 늘 도 우 시 니 승 전 가 높 이
이 름 찬 양 하 리
불 러 찬 양 하 리 아 멘

86. 주님의 마음을 본받는 자(507. 새455장)

C.H.Gabriel. Arr. Leewangjae
Alto 1. 2(Bar) Sax.
Tenor. Soprano Sax.
1.주 님 의 마 음 을 본 받 는 자 그 맘 에 평 강 이 찾 아 와 서 험 악 한 세 상 을 이 길 힘 이 하 늘 로 부 터 임 함 이 로 다
4.주 예 수 세 상 에 다 시 오 실 그 날 엔 뭇 성 도 변 화 하 여 주 님 의 빛 나 는 그 형 상 을 다 함 께 보 며 찬 양 하 리
주 님 의 마 음 본 받 아 살 면 서 그 거 룩 하 심 나 도 이 루 리

87. 주님의 뜻을 이루소서(217. 새425장)

A.A.Pollard/G.C.Stebbins Arr.Leewangjae

Alto 1. 2(Bar) Sax.
Tenor. Soprano Sax.
1.주 님 의 뜻 을 이 루 소
4.주 님 의 뜻 을 이 루 소
서 고 요 한 중 에 기 다 리
서 온 전 히 나 를 주 장 하
니 진 흙 과 같 은 날 빚 으
사 주 님 과 함 께 동 거 함
사 주 님 의 형 상 만 드 소
을 만 민 이 알 게 하 옵 소
서
서 아 멘

88. 주여 나의 병든 몸을(528. 새471장)

IRREG. Arr. Leewangjae

Alto 1. 2(Bar) Sax.
Tenor. Soprano Sax.
1.주 여 나 의 병 든 몸 을 지 금 고 쳐 주 소
4.나 의 병 을 고 쳐 주 심 내 가 믿 사 옵 니
서 모 든 병 을 고 쳐 주 마 주 약 속 하 셨 네 내 가
다 지 금 부 터 영 원 토 록 주 찬 송 하 겠 네 나 를
지 금 굳 게 믿 고 주 님 앞 에 구 하 오 니 주 여 크 신 권 능
구 원 하 신 말 씀 어 디 든 지 전 하 오 리 나 의 병 을 고 쳐
으 로 곧 고 쳐 주 소 서
주 심 참 감 사 합 니 다 아 멘

89. 주와 같이 길 가는 것(456.새430장)

통일찬송가 456장
A.B.Simpson. Arr. Leewangjae
Alto 1. 2(Bar) Sax.
Tenor. Soprano Sax.
1.주 와 같 이 길 가 는 것
4.옛 날 선 지 에 녹 같 이
즐 거 운 일 아 닌 가 우 리 주 님 걸 어 가 신
우 리 들 도 천 국 에 들 려 올 라 갈 때 까 지
발 자 취 를 밟 겠 네 한 걸 음 - 한 걸 음
주 와 같 이 걷 겠 네
주 예 수 와 함 께 날 마 다 날 마 다
우 리 는 걷 겠 네

90. 주의 친절한 팔에(458. 새405장)

E.A.Hoffman/A.J.Showalter Arr. Leewangjae

Alto 1. 2(Bar) Sax.
Tenor. Soprano Sax.
1.주 의 친 절 한 팔 에 안 기 세
3.주 의 보 좌 로 나 아 갈 때 에
우 리 맘 이 평 안 하 리 니 항 상 기 쁘 고 복 이 되 겠 네
기 뻐 찬 미 소 리 외 치 고 겁 과 두 려 움 없 어 지 리 니
주 의 팔 에
영 원 하 신 팔 에 안 기 세 주 님 의 팔 에 주 님 의 팔 에
영 원 하 신 팔 에 안 기 세
주 의 팔 에
그 크 신 팔 에 안 기 세 주 님 의 팔 에 주 님 의 팔 에
영 원 하 신 팔 에 안 기 세

91. 큰 물결이 설레이는 어둔 바다(462. 새432장)

A.Blenkhorn/W.S.Nickel. Arr. Leewangjae

Alto 1. 2(Bar) Sax.
Tenor. Soprano Sax.
1.큰 물 결 이 설 레 는 어 둔 바 다 저
3.큰 소 리 로 물 결 을 명 하 시 면 이
등 대 의 불 빛 도 희 미 한 데 이 풍 랑 에 배 저 어
바 다 는 고 요 히 잠 자 리 라 저 동 녘 이 환 하 게
항 해 하 는 주 예 수 님 이 배 의 사 공 이 라 나
밝 아 올 때 나 주 함 께 이 바 다 건 너 가 리
두 렴 없 네 두 렴 없 도 다 주 예 수 님 늘 깨 어
계 시 도 다 이 흉 흉 한 바 다 를 다 지 나 면 저
소 망 의 나 라 에 이 르 리 라

92. 큰 죄에 빠진 날 위해(339. 새282장)

C.Elliott/W.B.Bradbury. Arr. Leewangjae

Alto 1. 2(Bar) Sax.
Tenor. Soprano Sax.
1.큰 죄 에 빠 진 날 위
6.주 예 수 베 푼 사 랑
해 주 보 혈 흘 려 주 시 고 또 나 를
이 한 없 이 크 고 넓 으 니 내 뜻 을
오 라 하 시 니 주 께 로 거 저
모 두 버 리 고 주 께 로 거 저
갑 니 다
갑 니 다 아 멘

93. 천국에서 만나보자(293. 새480장)

통일찬송가 293장
I.G.Martin/Arr.I.G.Martin Arr.Leewangjae
Alto 1. 2(Bar) Sax.
Tenor. Soprano Sax.
1.천 국 에 서 만 나 보 자 그 날 아 침 거 기
3.기 다 리 던 성 도 들 과 그 문 에 서 만 날
서 순 례 자 여 예 비 하 라 늦 어 지 지 않 도
때 참 즐 거 운 우 리 모 임 그 얼 마 나 기 쁘
록 만 나 보 자 (그 아 침 에) 만 나 보 자 (그 아 침 에) 저 기
랴
뵈 는 저 천 국 문 에 서 만 나 보 자 (그 아 침 에) 만 나
보 자 (그 아 침 에) 그 날 아 침 그 문 에 서 만 나 자

94. 참 즐거운 노래를(49. 새482장)

C. M. Wilson, John R. Sweney Arr.Leewangjae

Alto 1. 2(Bar) Sax.
Tenor. Soprano Sax.
1.참 즐 거 운 노 래 를 늘 높 이 불 러
3.참 즐 거 운 노 래 를 늘 높 이 불 러
서 이 세 상 사 는 동 안 주 찬 양 하 겠 네 축
서 만 왕 의 왕 되 신 주 나 찬 양 하 겠 네 거
복 의 산 에 올 라 멀 리 바 라 보 니 나
룩 한 하 늘 노 래 들 려 올 그 때 에 참
건 너 갈 요 단 강 뚜 렷 이 보 이 네 참 아 름 다 운
그 립 던 주 님 을 반 가 이 대 하 리

노 래 늘 높 이 부 르 세 하 늘 의 소 망
주 신 주 찬 양 하 여 라 참 아 름 다 운
노 래 다 함 께 부 르 세 하 늘 의 기 쁨
주 신 주 찬 양 하 여 라

95. 하나님의 크신 사랑(55. 새15장)

C. Wesley, J. Zundel Arr. Leewangjae

Alto 1. 2(Bar) Sax.
Tenor. Soprano Sax.
1.하 나 님 의 크 신 - 사 랑 하 늘 로 서
4.우 리 들 이 거 듭 - 나 서 흠 이 없 게
내 리 - 사 우 리 맘 에 항 상 - 계 셔 온 전 하 게
하 시 - 고 주 의 크 신 구 원 - 받 아 온 전 하 게
합 소 - 서 나 의 주 는 자 비 - 하 사 사 랑 무 한
합 소 - 서 영 광 에 서 영 광 - 으 로 천 국 까 지
하 시 - 니 두 려 워 서 떠 는 - 자 를
이 르 - 러 크 신 사 랑 감 격 - 하 여
구 원 하 여 줍 소 - 서
경 배 하 게 합 소 - 서 아 멘

96. 해보다 더 밝은 저 천국(291. 새606장)

S.F.Bennett/J.P.Webster Arr.Leewangjae

Alto 1. 2(Bar) Sax.
Tenor. Soprano Sax.
1.해 보 다 더 밝 은 저 천 국 믿 는
4.광 명 한 하 늘 에 계 신 주 우 리
맘 가 지 고 가 겠 네 믿 는 자 위 하 여 있 을 곳 우 리
도 모 시 고 살 겠 네 성 도 들 즐 거 운 노 래 로 영 광
주 예 비 해 두 셨 네 며 칠 후 며 칠 후 며 칠 후 며 칠 후 요 단
을 주 앞 에 돌 리 리
강 건 너 가 만 나 리 며 칠 후 며 칠 후 며 칠 후 며 칠 후 요 단
강 건 너 가 만 나 리 아 멘

97. 햇빛을 받는 곳마다(52. 새138장)

I.Watts/J.Hatton. Arr. Leewangjae

Alto 1. 2(Bar) Sax.
Tenor. Soprano Sax.
1.햇 빛 을 받 는 - 곳 마 - 다 주 예 수 왕 이 되 - 시 고 이 세 상 끝 - 날 - 때 - 까 - 지 그 나 라 왕 성 하 리 라
5.이 세 상 모 든 - 만 물 - 아 주 앞 에 경 배 하 - 여 라 저 천 군 천 - 사 - 다 - 함 - 께 주 앞 에 찬 송 하 여 라
아 멘

98. 허락하신 새 땅에(382. 새347장)

통일찬송가 382장
C.M.Robinson/P.P.Bilhorn. Arr. Leewangjae
Alto 1. 2(Bar) Sax.
Tenor. Soprano Sax.
1.허 락 하 - 신 - 새 땅 에
4.일 할 곳 - 이 - 아 직 도
들 어 가 려 면 - - 맘 에 준 - 비 -
많 이 있 는 데 - - 담 대 하 - 게 -
다 하 여 힘 써 일 하 세 여 호 수 아
나 가 서 힘 써 일 하 세
본 받 아 앞 으 로 가 세 - - -
우 리 거 할 처 소 는 주 님 품 일 세

99. 행군 나팔 소리로(402. 새360장)

통일찬송가 402장

H.Waters/A.E.Lind. Arr. Leewangjae

Alto 1. 2(Bar) Sax.
Tenor. Soprano Sax.
1.행 군 나 팔 소 리 로 주 의
3.다 려 갈 길 다 가 고 싸 움
호 령 났 으 니 십 자 가 의 군 기
모 두 마 친 후 주 와 함 께 기 쁨
를 높 이 들 고 나 가 세 선 한
을 요 사 를 이 누 리 세
싸 움 다 싸 우 고 의 의 면 류 관 의 의 면 류 관

받 아 쓰 리 라 선 한 싸 움 다 싸 우 고
의 의 면 류 관 예 루 살 렘 성 에 서 면 류
관 받 으 리 저 요 단 강
건 너 우 리 싸 움 마 치 는 날 의 의 면 류 관 예 루
살 렘 성 에 서

100. 후일에 생명 그칠 때(295. 새608장)

F.J.crosby/G.C.Stebbins. Arr. Leewangjae

Alto 1. 2(Bar) Sax.
Tenor. Soprano Sax.
1.후 일 에 생 명 그 칠 때 여 전 히 찬 송 못 하
4.그 날 을 늘 기 다 리 고 내 등 불 밝 게 켰 다
나 성 부 의 집 에 깰 때 에 내 기 쁨 한 량 없 겠 네 내 주 예
가 주 께 서 문 을 여 실 때 이 영 혼 들 어 가 겠 네
수 뵈 올 때 에 그 은 혜 찬 송 하 겠 네 내 주 예 수 뵈 올 때
에 그 은 혜 찬 송 하 겠 네 아 멘

The Holy City(거룩한 성)

Stephen Adams
Arr. Leewangjae

색소폰 앙상블

Soprano Sax.
Alto Sax. Solo
Alto(Baritone) Sax.1.2
Tenor Sax. Solo
Tenor Sax. 1.2

101. The Holy City(거룩한 성)

색소폰 앙상블 파트 악보
Stephen Adams Arr.Leewangjae
Andante moderato
Tutti
Soprano Sax.
Solo
나 어 제 밤 에 잘 때 한 꿈 을 꾸 었 네 그
옛 날 예 루 살 렘 성 의 곁 에 섰 더 니 허 다 한 아 이 들 이 그
묘 한 소 리 로 주 찬 미 하 는 소 리 참 청 아 하 도 다 천
Tutti
군 과 천 사 들 이 화 답 함 과 같 이 예
루 살 렘 예 루 살 렘 그 거 룩 한 성 아 호
산 나 노 - 래 하 자 호 산 나 - - 부 르
자
Solo
그 꿈 이 다 시 변 하 여 그
길 은 고 요 코 호 산 나 찬 미 소 리 들 리 지 않 는 다 햇
빛 은 아 주 어 둡 고 그 광 경 참 담 해 이 는 십 자 가 에 달 리 신 그
때 의 일 이 라 이 는 십 자 가 에 달 리 신 그 때 의 일 이

40
Tutti
라 예 루 살 렘 예 루 살 렘 그 거 룩 한 성
44
아 호 산 나 노 - 래 하 자 호 산 나 - - 부 르
48
자
51
Solo
그 꿈 이 다 시 변 하 여 이
54
세 상 다 가 - 고 그 땅 을 내 가 보 니 그 유 리 바 다 와 그
57
Tutti
후 에 환 한 영 광 이 다 창 에 비 치 니 그 성 에 들 어 가 는 자 참
61
영 광 이 로 다 밤 이 나 낮 이 없 으 니 그
65
영 광 뿐 이 라 그 영 광 예 루 살 렘 성 영
69
원 한 곳 이 라 이 영 광 예 루 살 렘 성 참
73
빛 난 곳 일 세 예 루 살 렘 예 루 살 렘
77
그 거 룩 한 성 아 호 산 나 호 - - 산 나 호
81
산 나 - - 부 르 자 호 산 나 노 래 하 자 호
85
산 나 - - 호 산 나

102. The Holy City(거룩한 성)

색소폰 앙상블 파트 악보
Andante moderato
Stephen Adams Arr.Leewangjae
Alto Sax. Solo
Tutti
Solo
나 어 제 밤 에 잘 때 한 꿈 을 꾸 었 네 그
옛 날 예 루 살 렘 성 의 곁 에 섰 더 니 허 다 한 아 이 들 이 그
묘 한 소 리 로 주 찬 미 하 는 소 리 참 청 아 하 도 다 천
군 과 천 사 들 이 화 답 함 과 같 이 예
Tutti
루 살 렘 예 루 살 렘 그 거 룩 한 성 아 호
산 나 노 래 하 자 호 산 나 - - 부 르
자
Solo
그 꿈 이 다 시 변 하 여 그 길 은 고 요 코
호 산 나 찬 미 소 리 들 리 지 않 는 다 햇 빛 은 아 주 어 둡 고 그
광 경 참 담 해 이 는 십 자 가 에 달 리 신 그 때 의 일 이 라 이 는
십 자 가 에 달 리 신 그 때 의 일 이 라 예
Tutti

41
루 살 렘 예 루 살 렘 그 거 룩 한 성 아 호
45
산 나 노 래 하 자 호 산 나 - - 부 르
48
자
52
Solo
그 꿈 이 다 시 변 하 여 이 세 상 다 가 - 고 그
55
땅 을 내 가 보 니 그 유 리 바 다 와 그 후 에 환 한 영 광 이 다
58
Tutti
창 에 비 치 니 그 성 에 들 어 가 는 자 참 영 광 이 로
62
다 밤 이 나 낮 이 없 으 니 그 영 광 뿐 이
66
라 그 영 광 예 루 살 렘 성 영 원 한 곳 이
70
라 이 영 광 예 루 살 렘 성 참 빛 난 곳 일
74
세 예 루 살 렘 예 루 살 렘 그 거 룩 한 성
78
아 호 산 나 호 - 산 나 호 산 나 - - 부 르
82
자 호 산 나 노 래 하 자 호 산 나 - - 호 산
86
나

103. The Holy City(거룩한 성)

색소폰 앙상블 파트 악보
Stephen Adams Arr.Leewangjae
Andante moderato
Tutti
Alto Sax. 1
Solo
나 어 제 밤 에 잘 때 한 꿈 을 꾸 었 네 그
옛 날 예 루 살 렘 성 의 곁 에 섰 더 니 허 다 한 아 이 들 이 그
묘 한 소 리 로 주 찬 미 하 는 소 리 참 청 아 하 도 다 천 군 과 천 사
Tutti
들 이 화 답 함 과 같 이 예 루 살 렘 예
루 살 렘 그 거룩 한 성 아 호 산 나 노래
하 자 호 산 나 부 르 자
Solo
그 꿈 이 다 시 변 하 여 그
길 은 고 요 코 호 산 나 찬 미 소 리 들 리 지 않 는 다 햇
빛 은 아 주 어 둡 고 그 광 경 참 담 해 이 는 십 자 가 에 달 리 신 그
때 의 일 이 라 이 는 십 자 가 에 달 리 신 그 때 의 일 이

40
Tutti
라 예 루 살 렘 예 루 살 렘 그 거룩 한 성 아 호
45
산 나 노래 하 자 호 산 나 부 르 자
3
3
49
Solo
3
그
53
꿈 이 다 시 변 하 여 이 세 상 다 가 - 고 그 땅 을 내 가 보 니 그
56
Tutti
유 리 바 다 와 그 후 에 환 한 영 광 이 다 창 에 비 치 니 그
59
성 에 들 어 가 는 자 참 영 광 이 로 다 밤
63
이 나 낮 이 없 으 니 그 영 광 뿐 이 라 그
67
영 광 예 루 살 렘 성 영 원 한 곳 이 라 이 영 광 예 루
72
살 렘 성 참 빛 난 곳 일 세 예 루 살 렘 예 루 살 렘
77
3
그 거 룩 한 성 아 호 산 나 호 산 나 호
81
3
3
산 나 - - 부 르 자 호 산 나 노 래 하 자 호
85
3
산 나 호 산 나

104. The Holy City(거룩한 성)

색소폰 앙상블 파트 악보
Stephen Adams Arr.Leewangjae
Andante moderato
Tutti
Alto Sax.2
Solo
나 어 제 밤 에 잘 때 한 꿈 을 꾸 었 네 그
옛 날 예 루 살 렘 성 의 곁 에 섰 더 니 허 다 한 아 이 들 이 그
묘 한 소 리 로 주 찬 미 하 는 소 리 참 청 아 하 도 다 천
Tutti
군 과 천 사 들 이 화 답 함 과 같 이 예
루 살 렘 예 루 살 렘 그 거룩 한 성 아 호
산 나 노래 하 자 호 산 나 부 르 자
Solo
그
꿈 이 다 시 변 하 여 그 길 은 고 요 코 호 산 나 찬 미 소 리 들
리 지 않 는 다 햇 빛 은 아 주 어 둡 고 그 광 경 참 담 해 이 는
십 자 가 에 달 리 신 그 때 의 일 이 라 이 는 십 자 가 에
Tutti
달 리 신 그 때 의 일 이 라 예 루 살 렘 예

42
루 살렘 그 거룩 한 성 아 호 산 나 노래
46
하 자 호 산 나 부 르 자
50
Solo
그
53
꿈 이 다 시 변 하 여 이 세 상 다 가 - 고 그
55
땅 을 내 가 보 니 그 유 리 바 다 와 그 후 에 환 한 영 광 이 다
58
Tutti
창 에 비 치 니 그 성 에 들 어 가 는 자 참 영 광 이 로
62
다 밤 이 나 낮 이 없 으 니 그 영 광 뿐 이
66
라 그 영 광 예 루 살 렘 성 영 원 한 곳 이
70
라 이 영 광 예 루 살 렘 성 참 빛 난 곳 일
74
세 예 루 살 렘 예 루 살 렘 그 거 3 룩 한 성
78
아 호 산 나 호 산 나 호 산 나 부 르
82
자 호 산 나 노 3 래 하 자 호 산 나 호 산
86
나 3

105. The Holy City(거룩한 성)

색소폰 앙상블 파트 악보
Stephen Adams Arr.Leewangjae
Andante moderato
Tutti
Tenor Sax. Solo
Solo
나 어 제 밤 에 잘 때 한 꿈 을 꾸 었 네 그
옛 날 예 루 살 렘 성 의 곁 에 섰 더 니 허 다 한 아 이 들 이 그
묘 한 소 리 로 주 찬 미 하 는 소 리 참 청 아 하 도 다 천
Tutti
군 과 천 사 들 이 화 답 함 과 같 이 예
루 살 렘 예 루 살 렘 그 거 룩 한 성 아 호
산 나 노 - 래 하 자 호 산 나 - - 부 르
자
Solo
그 꿈 이 다 시 변 하 여 그
길 은 고 요 코 호 산 나 찬 미 소 리 들 리 지 않 는 다 햇
빛 은 아 주 어 둡 고 그 광 경 참 담 해 이 는 십 자 가 에 달 리 신 그
때 의 일 이 라 이 는 십 자 가 에 달 리 신 그 때 의 일 이

40
Tutti
라 예 루 살 렘 예 루 살 렘 그 거 룩 한 성
44
아 호 산 나 노 - 래 하 자 호 산 나 - - 부 르
48
자
51
Solo
그 꿈 이 다 시 변 하 여 이
54
세 상 다 가 - 고 그 땅 을 내 가 보 니 그 유 리 바 다 와 그
57
Tutti
후 에 환 한 영 광 이 다 창 에 비 치 니 그 성 에 들 어 가 는 자 참
61
영 광 이 로 다 밤 이 나 낮 이 없 으 니 그
65
영 광 뿐 이 라 그 영 광 예 루 살 렘 성 영
69
원 한 곳 이 라 이 영 광 예 루 살 렘 성 참
73
빛 난 곳 일 세 예 루 살 렘 예 루 살 렘
77
그 거 룩 한 성 아 호 산 나 호 - - 산 나 호
81
산 나 - - 부 르 자 호 산 나 노 래 하 자 호
85
산 나 - - 호 산 나

106. The Holy City(거룩한 성)

색소폰 앙상블 파트 악보
Stephen Adams Arr.Leewangjae
Andante moderato
Tutti
Tenor Sax.1
Solo
나 어 제 밤 에 잘 때 한 꿈 을 꾸 었 네 그
옛 날 예 루 살 렘 성 의 곁 에 섰 더 니 허 다 한 아 이 들 이 그
묘 한 소 리 로 주 찬 미 하 는 소 리 참 청 아 하 도 다 천
Tutti
군 과 천 사 들 이 화 답 함 과 같 이 예
루 살 렘 예 루 살 렘 그 거 룩 한 성 아 호
산 나 노 래 하 자 호 산 나 부 르
자
Solo
그 꿈 이 다 시 변 하 여 그 길 은 고 요 코
호 산 나 찬 미 소 리 들 리 지 않 는 다 햇 빛 은 아 주 어 둡 고 그
광 경 참 담 해 이 는 십 자 가 에 달 리 신 그 때 의 일 이 라 이 는
Tutti
십 자 가 에 달 리 신 그 때 의 일 이 라 예

41
루 살 렘 예 루 살 렘 그 거 룩 한 성 아 호
45
산 나 노 - 래 하 자 호 산 나 - - 부 르
48
자
52
Solo
그 꿈 이 다 시 변 하 여 이 세 상 다 가 - 고 그
55
땅 을 내 가 보 니 그 유 리 바 다 와 그 후 에 환 한 영 광 이 다
58
Tutti
창 에 비 치 니 그 성 에 들 어 가 는 자 참 영 광 이 로
62
다 밤 이 나 낮 이 없 으 니 그 영 광 뿐 이
66
라 그 영 광 예 루 살 렘 성 영 원 한 곳 이
70
라 이 영 광 예 루 살 렘 성 참 빛 난 곳 일
74
세 예 루 살 렘 예 루 살 렘 그 거 룩 한 성
78
아 호 산 나 호 - - 산 나 호 산 나 - - 부 르
82
자 호 산 나 노 래 하 자 호 산 나 - - 호 산
86
나

107. The Holy City(거룩한 성)
색소폰 앙상블 파트 악보
Stephen Adams Arr.Leewangjae
Andante moderato
Tutti
Tenor Sax.2
Solo
나 어 제 밤 에 잘 때 한 꿈 을 꾸 었 네 그
옛 날 예 루 살 렘 성 의 곁 에 섰 더 니 허 다 한 아 이 들 이 그
묘 한 소 리 로 주 찬 미 하 는 소 리 참 청 아 하 도 다 천
군 과 천 사 들 이 화 답 함 과 같 이 예
Tutti
루 살 렘 예 루 살 렘 그 거 룩 한 성 아 호
산 나 노래 하 자 호 산 나 - 부 르 자
Solo
그
꿈 이 다 시 변 하 여 그 길 은 고 요 코 호 산 나 찬 미 소 리 들
리 지 않 는 다 햇 빛 은 아 주 어 둡 고 그 광 경 참 담 해 이 는
십 자 가 에 달 리 신 그 때 의 일 이 라 이 는 십 자 가 에
달 리 신 그 때 의 일 이 라 예 루 살 렘 예
Tutti

42
루 살 렘 그 거 룩 한 성 아 호 산 나 노래
46
하 자 호 산 나 - 부 르 자
50
Solo
그
53
꿈 이 다 시 변 하 여 이 세 상 다 가 - 고 그 땅 을 내 가 보 니 그
56
Tutti
유 리 바 다 와 그 후 에 환 한 영 광 이 다 창 에 비 치 니 그
59
성 에 들 어 가 는 자 참 영 광 이 로 다 밤
63
이 나 낮 이 없 으 니 그 영 광 뿐 이 라 그
67
영 광 예 루 살 렘 성 영 원 한 곳 이 라 이
71
영 광 예 루 살 렘 성 참 빛 난 곳 일 세 예
75
루 살 렘 예 루 살 렘 그 거 룩 한 성 아 호
79
산 나 호 산 나 호 산 나 부 르 자 호
83
산 나 노 래 하 자 호 산 나 - - 호 산
86
나

이왕제

* 1955년 충남 강경
* 목원대학교 음악대학원(음악석사)
* 클라리넷 전공(이규형 · 김정수 · 임현식 교수 사사)
* 논문 : 브람스 클라리넷 5중주 연주법적 고찰
  (지도교수 : 나운영 박사)
* 클라리넷 독주회 3회
* 서울윈드오케스트라 협연(지휘:서현석 교수)
* 저서
  ·소프라노 리코더 교본(1999년-예당음악출판사)
  ·색소폰 연주곡집(이왕제 색소폰·클라리넷 클래식연주법연구회)
  ·찬송가 조에 맞춘 색소폰 앙상블 100 선곡집 BOOK1 (2024년-부크크)
  ·찬송가 조에 맞춘 색소폰 앙상블 100 선곡집 BOOK2 (2024년-부크크)
  ·Saxophone을 위한 Solo. Unison. Ensemble 성가곡·클래식 편 (2024년-부크크)
  ·찬송가 조에 맞춘 Cello 2부 100 선곡집 BOOK1 (2024년-부크크)
  ·찬송가 조에 맞춘 Cello 2부 100 선곡집 BOOK2 (2024년-부크크)
* 동국대학교 전산원(DUICA)수료(컴퓨터 2정교사)
* 수도방위사령부군악대 병장(사령관 공로상 수상)
* (전)대전대신중 · 대성고등학교 콘서트밴드 지도교사
* (전)서울은광여자중고등학교 콘서트밴드 지도교사(청와대 연주)
* (전)홍익대학교사대부속여자중고등학교 오케스트라 지도교사
  (서울특별시교육감 공로상 수상 · 교육과학부장관 공로상 수상)
* (전)대한예수교장로회총회신학교(합동) 교회음악과 교수
* (전)강남교회 성가대 지휘자(김성광 목사-강남금식기도원 원장)
* (전)서울한가람교회 · 분당한울교회 성가대 지휘자(김근수 목사)
* (전)청원윈드오케스트라 지휘자
  한국관악협회(KBA) 고 박종완회장 추모음악회 지휘
* (현)이왕제 색소폰·클라리넷 클래식연주법연구회(과천시1단지종합상가203호)
* (현)별내색소폰오케스트라 지휘자

도서명 : 찬송가 조에 맞춘 색소폰 앙상블 100 선곡집 2권

발 행 | 2024년 4월 24일
저 자 | 이왕제
펴낸이 | 한건희
펴낸곳 | 주식회사 부크크
출판사등록 | 2014.07.15.(제2014-16호)
주 소 | 서울특별시 금천구 가산디지털1로 119 SK트윈타워 A동 305호
전 화 | 1670-8316
이메일 | info@bookk.co.kr

ISBN | 979-11-410-8252-9

www.bookk.co.kr